LES MONTRÉALAIS

ANDRÉE MAILLET

LES
MONTRÉALAIS

NOUVELLES

l'HEXAGONE

Éditions de l'HEXAGONE
900, rue Ontario est
Montréal, Québec
H2L 1P4
Téléphone : (514) 525-2811

Maquette de couverture :
Jean Villemaire

Illustration de couverture :
Claire Descôteaux

Photocomposition :
Lenmieux

Distribution :
Québec Livres
4435, boulevard des Grandes Prairies
Saint-Léonard, Québec
H1R 3N4
Téléphone : (514) 327-6900
Zénith 1-800-361-3946

Réplique Diffusion
66, rue René-Boulanger
75010 Paris, France
Téléphone : 42.06.71.35

Dépôt légal : deuxième trimestre 1987
Bibliothèque nationale du Québec
Bibliothèque nationale du Canada

TYPO
Nouvelle édition
© 1987

À mon fils aîné
Roger Maillet Hobden

LA FÊTE

Je ne sais pas si on les avait épouillées comme on le faisait l'été; en tout cas, elles étaient venues, elles étaient là, une soixantaine, dans leurs manteaux lie-de-vin, fuchsia ou vert sombre, beige sale, noirs même, quand le tissu provenait d'un vêtement de grande personne, et elles portaient toutes le même béret marine orné de l'écusson de la Colonie de Vacances du Saint-Enfant-Jésus-de-Prague qui leur avait été donné en même temps que leur trousseau.

On leur dit d'enlever leur manteau, leurs claques, leurs mitaines; elles apparurent en jupes bleues et en chandails, lesquels provenaient également du trousseau.

Les guidant avec douceur, les jeunes filles les firent entrer dans la grande salle. L'arbre, alors, s'alluma mystérieusement. Après un silence ébloui, elles s'éparpillèrent toutes autour du sapin, en criant, car il les émerveillait tant il était beau, cet arbre, tant il était chargé de boules et d'oiseaux étincelants, d'étoiles filantes, de cloches en verre soufflé, de glaçons d'argent et de cannes en sucre blanc et rouge, de cornets de bonbons, de cadeaux enveloppés de papier bleu et or ou rouge et vert, et enrubannés de toutes les manières.

De ces cadeaux, de ces friandises, elles auraient leur part; elles étaient venues pour ça. C'était leur Fête de Noël.

De belles autos les avaient cueillies chez elles et les ramèneraient plus tard.

Pour donner plus d'éclat à la fête et dans l'espoir d'obtenir un octroi de la ville, les jeunes filles avaient invité quelques personnalités de haut rang, dont un adjoint de l'archevêque et le maire. Et l'archevêque était venu lui-même, tandis que le maire s'était fait représenter.

Monseigneur bénit les petites filles et comme il avait bien d'autres gens à bénir ce jour-là, il les exhorta, en peu de mots, à ne pas manquer la messe de minuit ni la messe du dimanche, à garder toujours un coeur pur pour que le Petit Jésus puisse y descendre comme en la Crèche, etc. Ce ne fut pas long. Il partit.

Un étudiant en droit apparut soudain, déguisé en Père Noël. Les petites filles se jetèrent sur lui avec des cris perçants. Elles vidèrent aussitôt sa besace remplie de babioles. Elles voulaient toutes lui parler, lui demander ça et ça, l'embrasser, s'asseoir sur ses genoux.

— Un instant! Un instant s'il vous plaît!… Allons, silence, mes enfants!

Le représentant du maire, monsieur Guindon, allait leur adresser la parole. On attaquerait le goûter ensuite et puis on prendrait l'arbre d'assaut. Le Père Noël, bien entendu, ne les quitterait pas comme cela. Il parlerait à chacune d'elles, oui, mais avant, le représentant du maire sollicitait toute leur attention.

Monsieur Guindon monta sur l'estrade, à côté de l'arbre. Il laissa tomber son regard sur les soixante fillettes dont les yeux brillaient encore, tout pleins qu'ils étaient de lumière, de couleurs, de l'archevêque, de l'arbre et du Père Noël:

«Mes petites *pauvres,* déclara monsieur Guindon, ces demoiselles, auxiliaires bienfaisantes de l'oeuvre de bienfaisance que vous connaissez, de la Colonie de Vacances du Saint-Enfant-Jésus-de-Prague, heu… ces demoiselles, au lieu de se prélasser dans leurs beaux salons en robes de soie, au lieu d'aller s'amuser avec les gensses de leur monde, ces demoiselles, je répète, vous ont organisé une belle fête.

«Ces demoiselles de bonnes familles, de grandes familles, sont allées vous sortir de vos taudis pour vous amener ici, dans ce local qui leur a été prêté par un particulier bienf… heu… généreux, pour vous organiser une fête de Noël comme vos parents n'en ont jamais vue, comme vous autres, vous n'en avez jamais vue, et comme je pense bien, vous n'en verrez jamais d'autres.

«Hum! Brrou. Son Honneur, le maire de Montréal, que j'ai souvent et une fois de plus l'honneur et l'occasion de représenter en bien des circonstances importantes, Son Honneur me charge de remercier, en votre nom et au nom de tous nos *humbles,* ces demoiselles qui dirigent la Colonie de Vacances du Saint-Enfant-Jésus-de-Prague, pour leur esprit civique et pour leur charité qui est tout à leur honneur. Et je ne crois pas, je ne crois pas m'aventurer trop loin en vous disant que, pour ma part, je connais le peuple de Montréal et que, même dans les ruelles les plus sales, il n'y a pas un *pauvre* cet après-midi qui... que... qu'on peut compter sur toute sa reconnaissance, car le peuple de Montréal, mesdames et messieurs, n'est pas un ingrat, au contraire.

«Mes petites *pauvres,* tous les cadeaux que vous allez recevoir aujourd'hui sont fournis gracieusement par ces demoiselles de notre belle élite bourgeoise qui ne craignent pas, comme bien d'autres, d'aller se salir les mains pour soulager la misère du *pauvre* monde.

«Avec mes plus profonds remerciements à ces demoiselles, en votre nom et plus encore au nom de Son Honneur le maire de Montréal, pour cette manifestation de charité si... la plus... charitable et en mon nom personnel, je vous souhaite à toutes un joyeux Noël et le plus franc succès pour cette fête qui donne l'exemple à toute la population. Merci.»

Il redescendit de l'estrade. Les petites filles le regardaient. Certaines entendaient avec inquiétude les glouglous de leur estomac. Quand mangerait-on? D'autres essayaient de deviner quel paquet dans l'arbre pouvait être le leur.

Quand aux demoiselles de notre belle élite bour-

geoise, d'abord stupéfaites par le discours du représentant du maire, elles avaient tout philosophique-
ment pris le parti d'en rire.

PLEURE, PLEURE!...

À midi, la circulation s'intensifie : les véhicules se suivent de très près, les camions rouges, les taxis jaune et noir des vétérans, les autos de toutes marques, les autobus qui s'arrêtent en glissant et grinçant; on a du mal à traverser la rue Sherbrooke entre l'avenue Atwater et l'avenue Victoria; plus à l'est, n'en parlons pas, elle est bloquée.

Une mère pousse un landau où, entre deux sacs de papier brun bondés de victuailles, paraît la frimousse chérie. Les supermarchés engloutissent et renvoient la foule des acheteurs. Au parc, il y a des chiens-chiens, des enfants qui ne se sentent plus de faim, des pigeons, des écureuils. Amours d'écureuils! L'un a la queue élimée, l'autre est si effronté qu'il saute sur les gens pour avoir des noix; un autre est albinos, très rare spécimen que ses congénères chassent dès que quelque'un s'amène avec des cacahuètes, c'est comme dans la vie : il faut ressembler, plutôt plus que moins, à la masse, sinon, pas de cacahuètes; et des moineaux, et des oiseaux dont presque personne ne sait le nom; et de la boue, et des feuilles mortes. On va, on s'interpelle. Les écoles se vident. Les grands garçons ont l'air frais, avec une voix qui mue encore, parfois. Les moyens et les petits ont des balles, des billes, des osselets, des yoyos, des sifflets, des comics, de la gomme-baloune, des revolvers à pétards ou bien à eau, des jeux, des farces, des attrapes; ils courent, ils tournent sur eux-mêmes, ils crient. Un conseil : ôtez-vous de leur chemin. On reconnaît les filles des écoles catholiques à leurs bas longs et beiges et les filles des écoles protestantes à leurs chaussettes de laine blanche et à leur jupe courte. C'est l'heure où l'on regarde devant soi, où l'on songe à rentrer, à manger, à faire halte. Nul ne se promène. C'est vraiment le milieu du jour. Il reste encore plusieurs heures avant qu'une autre journée ne soit finie, ou perdue; avant que l'on pense : *enfin !* ou, *déjà !* Il reste encore le temps de fuir, de prendre, de gagner, de trouver, de se sauver, de changer complètement son existence.

Réjane, pourtant, qui revient à la maison, se dit que sa vie est gâchée pour toujours. Elle se sent faiblir. C'est épouvantable, épouvantable. Que faire? Comment leur apprendre cela? Elle frissonne, elle transpire, elle rougit sûrement. L'examine-t-on? Non. À moins qu'elle ne soit blanche comme un drap. Près de ce banc-ci, il n'y a personne. Elle se laisse tomber sur le banc. Elle porte la main à ses yeux. Oh! quelle honte! Ses yeux bougent vite, affolés par ses pensées comme des souris par un chat qui les guette et qui saute. Et son coeur bat vite aussi.

Il lui paraît qu'elle demeure au même endroit très longtemps. Elle regarde l'heure à sa montre, ça ne fait pas cinq minutes qu'elle est là. Elle se ramasse toute sur elle-même et puis se met debout. Elle a eu l'impression de bondir. Aussi bien régler la question sans plus tarder; courage! Elle marche, marche, marche. Elle traverse la rue sans se faire écraser : c'est miracle. Elle arrive devant la porte. Elle prend sa clef.

— Eh bien! ma Réjane, quoi de neuf? demande monsieur Bélisle.

Il tient *Le Devoir* à la main.

La venue de sa fille l'arrache, le front encore tout renfrogné, à la lecture d'un éditorial sur les minorités canadiennes-françaises des provinces de l'Ouest, à qui on fait subir, selon la coutume, toutes sortes de sévices moraux. Il se rassérène en voyant sa fille qu'il n'attendait pas.

La bonne sert la soupe aux tomates.

— Apportez une assiette, s'il vous plaît, Gemma, dit madame Bélisle. Une troisième assiette.

Elle ôte le couvercle du bain-marie, jette un coup d'oeil sur les pétoncles et revient à la salle à manger.

Réjane s'est lavé les mains dans le powder-room rose et bleu attenant à l'office et rejoint ses parents autour de la table. Chacun prend place.

— T'as bien la face longue! fait monsieur Bélisle à sa fille. Pas de bonne humeur? Es-tu malade?

— Non, papa.

Madame Bélisle raconte que Maurice dînera dorénavant au collège parce que la saison du hockey va commencer bientôt, qu'il fait partie de l'équipe, que les joueurs s'entraînent surtout durant la récréation de midi.

— C'est bien pire, reprend Réjane. C'est bien pire, papa.

En dépit de son visage fermé, ses parents ne la questionnent plus; ils ne semblent pas étonnés qu'elle soit revenue à la maison, alors qu'elle devait passer la journée en ville.

— Qu'est-ce qui est pire? demande madame Bélisle.

— Qu'y a-t-il donc, ma belle? dit monsieur Bélisle.

Mais il est distrait. Le billet de Zadig traite avec ironie la question de l'Union Jack et du *God Save the Queen*: doit-on rester assis, par nationalisme, quand on joue l'hymne britannique, ou bien se lever, par politesse?

— Mange, mange, Alcide, pendant que c'est chaud. Mange, Réjane.

— C'est bien bon, maman.

— Tu n'y as pas goûté!

— Je n'ai pas faim. J'ai comme un vacuum en dedans, ici. Si vous n'avez pas deviné, je vais tout vous dire.

— Tout nous dire quoi? Deviner quoi? font ensemble monsieur et madame.

— Jean-Charles... a cassé avec moi. Je ne suis

plus fiancée. Je ne me marierai jamais. C'est incroyable, hein?

Monsieur Bélisle avale une cuillerée de soupe. A-t-il bien entendu? Sa femme, la cuiller suspendue au-dessus de l'assiette, a les yeux sur lui. Elle redoute qu'il maîtrise mal son irritation. À la fin, il ne la maîtrise plus du tout et elle se déverse comme une gouttière sur la tête de sa fille.

— Ben, voyons donc! Qu'est-ce que tu me chantes là? Tord-nom! Encore une autre affaire!

Ceci est une allusion, obscure — sauf pour lui — à la lettre d'un lecteur qui se plaint qu'on ne lui parle qu'en anglais sur les chemins de fer nationaux.

— ... Je ne te comprends pas. Où est-il, Jean-Charles?

— Je l'ai vu tout à l'heure. Je viens de le voir. Je suis allée à son bureau pour lui demander de choisir le service à thé avec moi, le service que grand-maman veut nous donner; elle m'a dit d'aller choisir celui que... maintenant, il n'en est plus question évidemment. Il m'a invitée à luncher au Cercle universitaire. Bon, alors, on y va. On commande. Bon, ensuite...

Les mots ne sortent plus.

— Le service à thé, ta grand-mère, le lunch au Cercle, tout ça m'a l'air bien mélangé. Mais parle! Continue! Explique-toi! ordonne monsieur Bélisle.

Sans doute enrage-t-il de ne pouvoir blâmer un Anglais, en cette déplaisante occurrence.

Madame Bélisle va prendre Réjane par le cou.

— Pleure, pleure, ma petite fille. Détends-toi, lui conseille-t-elle. Tu nous raconteras ça plus tard. Pleure, chère, ça te soulagera.

Réjane se dégage.

— Non, maman. Je n'ai pas envie de pleurer. Ce qui m'arrive est incroyable. Je n'arrive pas encore à croire que c'est vrai.

— Ça ne peut pas être vrai, tonnerre! s'écrie monsieur Bélisle. La vie n'est pas un roman-savon. Vous vous êtes disputés, querelle d'amoureux, coups de bec, pas plus grave que ça.

— Bien oui, tu es nerveuse. Ça te ferait du bien de pleurer. C'est énervant de préparer son mariage. Tu t'imagines toutes sortes de choses…

Réjane repousse son assiette.

— Excusez-moi. Je ne mangerai pas. J'aurais dû attendre la fin du repas pour vous parler. Je n'aurais pas dû revenir à cette heure-ci. Je vous coupe l'appétit.

— Il faut plus que ça pour m'empêcher de manger, dit monsieur Bélisle.

Et pour bien se le prouver, il engloutit le reste de sa soupe à toute vitesse et laisse tomber la cuiller dans la porcelaine avec un grand bruit.

— Tiens…

Il se lève et va tirer une bouteille du petit bar en acajou. Il verse trois doigts de scotch dans un verre et le tend à sa fille.

— …bois ça! Un p'tit coup, c'est parfois plus nécessaire qu'agréable. Avale ça d'une traite. Tu vas

20

passer du blanc au rouge vif, le temps de le dire. Alors, c'est vrai? Dis bien tout à ton père.

Il a repris son sang-froid. Il est de nouveau maître de lui: le chef de famille. La politique l'excite, le renvoie d'un problème à l'autre comme une balle; mais pour sa famille, il est comme un chêne agrippé au sol qui nourrit bien toutes ses branches.

— Jean-Charles a brisé vos fiançailles? poursuit-il. Hum! T'a-t-il donné une raison? Laquelle? Il faut qu'elle soit sérieuse.

— Non. Pas de raison.

Réjane avale le whisky et grimace.

— Merci, papa. Aucune raison, c'est-à-dire rien que l'on puisse considérer comme une raison. Nous attendions les hors-d'oeuvre. Il me dit: «Réjane, je pensais t'écrire, mais j'aime mieux, au fond, t'en parler en face.» J'oubliais de vous dire, maman, papa, que nous étions sortis de son bureau vers onze heures et qu'au Cercle…

— Tu es peut-être allée le voir trop tôt, Réjane, suggère madame Bélisle. Tu l'as peut-être dérangé dans son travail. C'est pour cela qu'il était de mauvaise humeur.

— Pas du tout, maman. Il m'avait demandé de passer à cette heure-là, le jour qui me conviendrait. Tu ne comprends pas…

— Laisse-la parler, intervient monsieur Bélisle.

— Et il n'était pas de mauvaise humeur. Il avait l'air… drôle, par exemple. Donc, au Cercle, nous avions eu le temps de boire deux cocktails. Je me souviens maintenant qu'il les a bus pas mal vite. Moi aussi, je suppose, pour le suivre, hein? Il avait l'air distrait, un peu embarrassé, enfin, drôle...

— Oui, oui, bizarre, curieux, étrange; nous comprenons, continue.

— Excusez-moi si je me répète. Il me semble que je n'ai pas remarqué son expression, sur le moment. Je lui décrivais les derniers cadeaux que nous avions reçus. Et puis, je lui ai raconté le shower de linge de maison que Dorothée avait organisé, mardi. À un moment donné, il m'a dit: «Dans un shower, il est difficile de reconnaître la contribution de chacun, je suppose?» Je lui ai répondu que non, qu'il y avait une carte attachée à chaque paquet. Par exemple, Suzanne m'a donné des napperons brodés, Margot, un ensemble pour la salle de bain... Toujours est-il que... Qu'est-ce que je disais, avant ça?

P— Vous étiez à table. Vous attendiez les hors-d'oeuvre.

M— Non, Alcide. Tu la mélanges. Jean-Charles venait de lui dire qu'il était content de lui parler. Pauvre chouette! Pleure donc un peu!

— Je n'ai pas envie de pleurer, maman. Ça vient de m'arriver il y a un peu plus d'une heure, et il me semble que c'est loin, loin dans le passé... Ah! oui, il m'a dit: «Franchement, Réjane, je ne suis pas fait pour le mariage. Je n'ai pas...»

Pendant qu'il écoute sa fille, cette pauvre histoire débitée d'une voix saccadée, monsieur Bélisle entend aussi, comme en sourdine, ou plutôt, comme s'il venait de brancher sa radio sur deux postes à la fois, des phrases alarmantes au possible : DURANT LA PROCHAINE DÉCENNIE, LE CANADA FRANÇAIS COURRA SA DERNIÈRE CHANCE DE SURVIE. SOMMES-NOUS TOUJOURS DES PORTEURS D'EAU ? LE MARTYRE DE L'ACADIE PRÉSENT DANS NOS COEURS. APRÈS LES NÈGRES DES ÉTATS-UNIS, LES CANADIENS FRANÇAIS CONSTITUENT LA MAIN-D'OEUVRE LA MOINS BIEN RÉMUNÉRÉE DE TOUTE L'AMÉRIQUE DU NORD. NOUS NE SOMMES PAS MAÎTRES CHEZ NOUS.

Il a beau prêter attention au récit de Réjane, il ne peut se libérer de tous ces titres en caractères gras qui assaillent sa pensée et ses sentiments. Il a l'esprit englué dans son journal favori, *Le Devoir,* le journal qui pense, eh oui, le moins lu de tous, naturellement.

Monsieur Bélisle contribue à toutes les campagnes de souscription pour la défense, la sauvegarde, la survivance, le relèvement de sa race, de sa langue. Croyant encore mordicus que la Langue est gardienne de la Foi, il est pour l'autonomie, la république, le drapeau bleu; il préfère les Belges, traditionalistes, lui a-t-on dit, aux Français, toujours un peu libres penseurs. Les questions ouvrières le font un tantinet trébucher. Les syndicats, les villes fermées, la location de nos richesses naturelles, tout ça n'est pas encore très clair pour lui, mais, voulant être de son temps, il s'informe, lit son journal quotidien de la première ligne à la dernière. Il ne lit même que ça. Et c'est déjà beau ! Avec les réunions, les assemblées, les conférences et la télévision, qui a donc le temps de lire? Mais cette unique lecture conditionne sa pensée de telle manière, qu'il a encore plus que d'autres le complexe du vaincu, de l'occupé, du résistant. C'est un infatigable revendicateur.

— «…la vocation. Je te rendrai malheureuse.» Il m'a dit ça comme ça. Il espérait que j'allais comprendre. Il m'a juré qu'il n'aimait personne d'autre, que j'étais la fille la plus épatante, qu'il n'avait rien à me reprocher; je vous passe le reste: des compliments, des excuses, des regrets, des ci et des ça. Il a parlé de vous deux, beaucoup d'éloges pour vous deux: les beaux-parents idéaux. Il m'a dit que j'étais cent fois trop bien pour lui, que je n'aurais pas de mal à trouver quelqu'un de cent fois mieux que lui, que je le remercierais un jour de sa décision, une décision bien pénible pour lui, enfin, qu'il ne pouvait tenir parole, que je devais reprendre ma liberté, que nous resterions amis, que je pouvais conserver sa bague en souvenir… Je l'ai encore, tiens! J'ai oublié de la lui rendre. J'étais comme assommée…

— Garde-la! s'écrie monsieur Bélisle. Tu la revendras, si tu veux. Attends un peu! je vais lui en faire, moi, des cassages de fiançailles avec ma fille!

Certes, *Le Devoir* lui met quotidiennement le nez dans la situation précaire du groupe ethnique auquel il appartient. Il s'en émeut, il s'en agace; quelquefois il désespère en secret. Mais, quand même, il n'est pas seul contre l'ennemi commun. Membre de la Société Saint-Jean-Baptiste, il fait partie du Club

Richelieu, de la Ligue d'Action Nationale, de la Ligue du Sacré-Coeur, de la Société du Bon Parler Français. Il collabore, appuie de son mieux et, par cela et par tout son irréprochable mode de vie, il tend à la considération de ses concitoyens; et, avec une minorité qu'il croit être l'élite dirigeante, il s'oppose à ce qu'on l'assimile malgré lui au bloc anglo-saxon. Il n'en demeure pas moins que son orgueil est irrité tous les jours; mais d'être rejeté de la sorte par l'un des siens l'humilie davantage. Sa figure se fige.

— Après?

— Après? Moi je ne disais rien. Le garçon est arrivé avec le plateau de hors-d'oeuvre. J'ai attendu qu'il nous serve et qu'il s'en aille. Et puis j'ai demandé à Jean-Charles s'il y avait longtemps qu'il pensait comme cela. Il m'a répondu que oui, qu'il y pensait de plus en plus depuis le dîner des fiançailles.

— Oh! pauvre petite fille! fait madame Bélisle qui n'est que mère.

Elle ne songe qu'au chagrin de sa fille, car elle ne lit jamais que les recettes de cuisine et le carnet mondain. Avec les réunions des dames patronnesses, les assemblées, les conférences, la télévision, etc., les femmes de son monde n'ont pas non plus le temps de lire. Elle est toute à sa famille et n'a pas d'autres préoccupations. Son mari, en revanche, est préparé à toutes les catastrophes possibles et imaginables du fait qu'il est Canadien français, et fier de l'être, monsieur. Mais aujourd'hui ce n'est pas sa dignité de Canadien français qui est en cause. Son ex-futur gendre n'est ni anglais ni étranger ni protestant. Encore une fois, c'est un homme du même milieu que lui. Qu'y comprendre? Momentanément désarçonné, monsieur Bélisle garde le silence.

— Alors, je lui ai demandé pourquoi il ne m'avait pas avertie plus tôt, avant la publication des bans, par exemple, avant que les invitations ne soient lancées. Il m'a dit qu'il ne le savait pas, qu'il avait tâché de tenir jusqu'au bout, de se raisonner, mais qu'il s'apercevait de plus en plus qu'il m'aimait comme une amie, comme un copain, pour sortir, mais pas comme on doit certainement aimer une femme… Il n'était pas affectueux, vous savez; je croyais que c'était de la réserve. C'est épouvantable! Il m'a dit qu'il n'était peut-être pas normal, qu'il n'avait jamais su au juste ce qu'il voulait dans la vie, qu'il irait consulter un psychologue.

— Ah! oui, c'est épouvantable! fait madame Bélisle.

Au moment où la bonne entre avec le poisson, elle éclate en sanglots.

La bonne sort rapidement.

— Voyons, pauvre maman. Prends sur toi.

Monsieur Bélisle éclate aussi, mais en paroles.

— Ton trousseau, ton ameublement, les cartes gravées, il paiera tout, tout et tout! Et tes photos de fiançailles! Et plus. Et tout le dommage que ça peut faire à ta réputation, à ma réputation. Attends un peu. Un beau procès!

26

— Non, non. Pas de procès, papa!

— Je vais toujours bien lui faire peur, tord-nom!

— C'est un scandale, dit madame Bélisle. Mon Dieu! mon Dieu! Je pensais que c'était un bon garçon, moi, Jean-Charles. Qu'est-ce que les gens vont dire?

— Ils diront ce qu'ils voudront. Je ne me laisserai pas faire par un morveux, une espèce de fils à papa, un fifi peut-être, tiens, ça doit être ça, en effet; un Mange-Canayen… Quand on dit que les Canadiens n'avancent pas parce qu'ils sont trop occupés à se manger la laine sur le dos, tu en as la preuve. Un névrosé, une tête folle… Il va trouver ça dispendieux, les changements de programme! Quant à toi, ma Réjane, tu ne vas pas regretter ce vaurien-là, j'espère! Les hommes sont comme les tramways: si on en manque un, on prend celui qui vient après. Je te garantis que ça ne sera pas bien difficile de remplacer un numéro pareil. Ça ne tient pas debout! Une belle fille, bonne famille bien pensante, loin d'être dans la rue… Je suis encore capable de défendre ma fille, il va l'apprendre à ses dépens. Des contrats comme je pouvais lui en faire donner, il n'en verra pas souvent dans son bureau. Tu vas voir comment je vais l'arranger. J'ai des influences, je sais m'en servir. À part ça, Annette, tu vas aller t'expliquer avec la mère de Jean-Charles.

— Maman, non! Je t'en prie, n'y va pas. J'en mourrai.

— L'une avec ses grands mots, l'autre avec son

mouchoir : les femmes sont toutes les mêmes. C'est bon. Je lui parlerai moi-même, à cette femme-là, pour lui demander comment elle a fait son fils. Si le père vivait, ça marcherait autrement, je vous en passe un papier ! Je téléphonerai à mon avocat tout de suite après le dîner. Mangez, mangez. Il faut des forces pour lutter dans la vie.

— Je ne peux pas manger, papa, dit plaintivement Réjane. On devra remettre tous les cadeaux…

— Pleure donc un peu, ma petite fille. Tu vas voir comme ça fait du bien.

— Laisse-là, à la fin, Annette ! Tu constateras qu'elle n'a pas la larme facile. Elle me ressemble. D'abord, Réjane, tu vas aller te promener chez ta tante, à Ottawa, pour une quinzaine de jours ; il y a longtemps qu'elle veut t'avoir. Ici, nous allons nous occuper de tout. Quand tu reviendras, tout sera rentré dans l'ordre ; tu recommenceras à neuf. Hein ? Qu'est-ce que tu en dis ?

Réjane n'en dit rien ; elle est prête à tout. Elle se laissera faire.

— Au fond, je ne me plains pas trop de te garder plus longtemps avec nous autres. Ce n'est pas rose de perdre sa fille unique, et quand elle se marie, on a beau dire, on la perd toujours un peu.

La fille à son père, la *sienne*. Avant d'être catholique, avant d'être un Canadien français, monsieur Bélisle est un père ; ceci est une admirable certitude, c'est quelque chose de tellement fondamental qu'il en est à peine conscient ; il n'a certes jamais réfléchi

28

à cela, mais d'abord, il est un homme et un père, et c'est sa fierté d'être père qui le sauve. Depuis la naissance de Réjane, il se console de tout ce qui le tracasse dès qu'il songe qu'il a participé à la création de cette merveille; c'est beau, c'est fin, ça sait tout faire et c'est presque trop intelligent. Il aime bien ses fils, mais sa fille…

— Ça me faisait quelque chose aussi de te voir partir si vite.

Réjane a le nez dans son assiette et son regard se fixe sur un point quelconque. Son père, attendri, tend la main et lui tapote les cheveux. Alors, elle se pince les lèvres et sort de table avec précipitation; elle se jette dans l'escalier, le monte elle ne sait trop comment et s'enferme dans sa chambre, une vraie chambre de jeune fille, avec des meubles blancs garnis de nylon à fleurs roses.

Hélas! Elle ne s'en ira donc pas dans une semaine, ainsi qu'elle l'avait cru? Elle ne la quittera donc jamais, cette bonbonnière à volants qu'elle déteste parce que c'est précisément une chambre de jeune fille et qu'elle en a assez, assez d'être une jeune fille?

En bas, madame Bélisle est allée mettre sa joue contre celle de son mari et lui répète:

— Ça va lui passer vite, Alcide. Ne te fais pas tant de bile; elle se consolera plus vite que tu ne penses.

En haut, Réjane s'écrase dans un fauteuil et pleure à chaudes larmes. Bien sûr. Son père est content, au fond, qu'elle ne parte plus. Pauvre gros papa qui ne comprend rien. «Ça me faisait quelque chose aussi, de te voir partir si vite.» Réjane n'en peut plus de chagrin. Elle en crierait si elle n'était si bien élevée. «J'ai vingt-sept ans, pense-t-elle. Personne ne veut de moi. Je vais toujours rester ici, vieille fille, vieille fille…»

ending, cont.

ICI, LÉON DURANCEAU

Oui m'man… non… Non. Charles est absent.
Je travaille dans son bureau, là… Je ne rentrerai pas
souper. Je suis bien pris ce soir, m'man… C'est bon.
À plus tard. Bye-bye.

☐

Allô? Exdale 8770? Ici, c'est Léon Duranceau
qui parle… Bien, le concierge m'a laissé un mot à
cet effet. Est-ce que Gérard est là?… Est-ce qu'il
est là, Gérard?… C'est bon… Allô, allô, Gérard?
Je ne te dérange pas trop?… As-tu parlé à Paul-
Émile?… Oui? Et puis?… Écoute, là, j'ai la permission d'adapter la pièce, l'auteur est en procès avec
ses éditeurs; pour le moment, je n'en sais pas plus
long… C'est important en diable pour moi, mon
vieux… Parce que je ne peux pas accepter autre chose
avant que vous ayez pris une décision pour ou contre. On me sollicite de toutes parts et j'envoie tout
le monde au balai… Je ne peux pas rester sur la clô-
ture éternellement… Oui, c'est ça… J'ai du pain sur
la planche tant que tu veux, mais je suis mordu pour

monter ça et en attendant vos appoints, je ne travaille pas…. T'es pas sérieux? Ça fait trois jours que je t'en parle… Veux-tu qu'on discute de ça en dînant, ce soir?… Ah? J'étais engagé, mais si tu avais été libre, je me serais dégagé pas trop difficilement… Non?… Bon. Et demain?… Bien, demande à Paul-Émile et fais ça vite, hein? Je ne serai pas toujours disponible. Tu me rappelles demain matin?… C'est bon… J'attends ton téléphone… À bientôt, mon vieux… et n'oublie pas d'en parler à Paul-Émile, hein?… C'est ça… Salut!

□

Oui; mademoiselle Marino est-elle là, s'il vous plaît?… À quelle heure l'attendez-vous?… Il n'y a pas de message, c'est personnel!… Mon nom? Heu… non… Je rappellerai plutôt tout à l'heure, je ne suis pas chez moi… Merci.

□

Allô? Monsieur Plantin, s'il vous plaît… De la part de Léon Duranceau… C'est urgent et personnel… Je ne suis pas chez moi, il ne pourra pas me rappeler… Dans combien de minutes puis-je le rappeler?… Très bien, je vais attendre . . . .
. . . .
Allô? Bonjour, monsieur Plantin. Ici Léon Duranceau. Comment allez-vous?… Pas mal merci, merci.

Dites-donc, monsieur Plantin, avez-vous du nouveau pour moi, aujourd'hui?... Non?... Voulez-vous que je passe à l'agence, cet après-midi?... Et à l'heure du souper?... Tudieu! Vous êtes occupé tous les soirs, ces temps-ci!... Bien, j'ai plusieurs choses en vue, par exemple, on insiste pour que j'adapte la pièce de... Je n'ai pas seulement des adaptations, monsieur Plantin... Pas du tout; tenez: j'ai une serviette pleine de projets, d'idées extraordinaires!... Je ne peux pas écrire mille textes sans savoir si vous allez en accepter un, non?... Si vous pouvez me recevoir tout à l'heure, j'ir... Demain?... Après-demain?... Quand, d'abord?... Je passerai vous voir demain... Quand reviendrez-vous de Sherbrooke?... Alors, est-ce que vous me ferez signe dès votre retour?... C'est parce que je voudrais vous montrer mon début d'adaptation... Bien, Paul-Émile Crépeau me disait ce matin que vous aviez un besoin urgent de... Justement, lui et Gérard Laframboise voulaient que je leur parle de ça, ce soir. On aurait dîné ensemble au «400», mais j'étais pris; et pour vous voir, monsieur Plantin, je me serais dépris... Je le regrette beaucoup pour moi. Pour vous aussi, vous savez... Ah! évidemment, il y a plusieurs agences qui me sollicitent, mais j'ai un faible pour la vôtre... hein?... Vous faites du meilleur travail que n'importe qui, sans vous vanter, et je serais prêt à travailler pour vous à des conditions même moins intéressantes... Ça vous intéressera sûrement quand vous l'aurez vu... Pardon?... Oui, alors, à bientôt, monsieur Plantin, et excusez-moi de vous avoir retardé... Au revoir.

□

Madame Martin, je vous prie... monsieur Léon Duranceau... Bonjour, madame, heu, me reconnaissez-vous?... Léon Duranceau, un ami de monsieur Plantin, un protégé, devrais-je dire... Il ne vous a pas encore parlé de moi?... Duranceau... Léon Duranceau. Je vous ai rencontrée à la radio, il y a un mois, je croyais que... Monsieur Plantin m'a dit que vous aviez peut-être besoin d'aide pour vos adaptations commerciales et j'ai pas mal d'expérience... Bien, j'ai fait déjà deux textes pour le poste de Granby, l'année dernière... Oui, madame, je suis montréalais, mais je voyageais dans les Cantons-de-l'Est pour une compagnie de savon et on a eu besoin d'un traducteur et à la dernière minute, je me suis offert à leur rendre service... Compliqué? Je peux vous expliquer... Non... Oui, c'est tout, mais j'ai des idées plein la tête et comme je ne voyage plus, j'ai pensé me lancer dans le métier de scripteur et d'adaptateur; mes vieux amis, Laframboise et Crépeau, m'ont pas mal encouragé... C'est le hasard, chère madame... J'avais un ami annonceur à Granby et il m'a donné une chance... C'est-à-dire qu'il s'arrangeait bien avec le réalisateur et, de fil en aiguille, je lui ai fait deux textes pour qu'il voie ce dont j'étais capable et il me les a passés... Non, mais j'ai toujours rêvé d'écrire pour la radio et pour la tévé. Monsieur Plantin m'a dit que vous aviez déjà encouragé plusieurs jeunes et j'ai pensé me recommander de lui... C'est hier ou avant-hier qu'il m'a parlé de ça... Rien pour le moment?... Oh! vous savez, c'est dur de percer quand personne ne vous aide... Bien, si c'était possible pour vous de me recevoir, je vous montrerais ce que j'ai, mes projets, un début d'adaptation... Une pièce hongroise, madame... Elle a été traduite en France, je ne sais pas le hongrois, malheureusement... C'est d'un très grand auteur inconnu, Ferenc Lukas... Oui, je sais bien que vous vous spécialisez dans le script commercial, mais la littérature, c'est la littérature, n'est-ce pas? ...Aujourd'hui, il n'y aurait pas moyen?... Et quand, chère madame?... C'est-à-dire que, si cela ne vous dérange pas trop, j'aimerais mieux vous le porter moi-même, je n'ai pas de copie propre, vous comprenez? ...Eh bien, je tâcherai de le mettre à la poste, mais ça ne vous dira pas autant que si je pouvais vous expliquer tout ça moi-même, de vive voix... Je comprends... Entendu, chère madame, je vous rappellerai dans quelques jours... Au revoir et merci, madame.

☐

Allô, Gérard? Mon téléphone a été occupé tout le temps et je pensais que si tu avais voulu m'atteindre, tu ne l'aurais pas pu... Oui, tu m'as dit demain, mais si Paul-Émile était revenu… Écoute, mon vieux, Plantin est très, très impressionné. Il partait pour Sherbrooke, mais je dois le voir dès son retour… Il va sauter dessus, c'est tout… Et je voulais te dire aussi que la puissante madame Martin s'intéresse à moi… Oui… elle a entendu parler de moi par Plantin… Tu parles si c'est en bien!… Hein?… Elle voulait quasiment m'enlever… Elle m'a déjà vu, tiens! Je lui ai répondu que j'étais engagé ce soir… Ouais. On appelle ça *playing hard to get,* mais sans farce, je me libérerais assez facilement si tu n'étais pas trop pris… Bon, bon. Alors, salut, Gérard.

□

Mademoiselle Marino, s'il vous plaît. Allô, Marie Marino?… Bonjour. Reconnaissez-vous ma voix?… Je ne vous ferai pas languir: Léon Duranceau… Vous ne vous attendiez pas à recevoir mon coup de fil si vite peut-être… Êtes-vous aussi belle qu'hier?… O.K. Avant-hier. Êtes-vous aussi jolie tous les jours?… Moi, je ne dis que la vérité, mademoiselle… Il me semble que vous n'êtes pas d'aussi bonne humeur que vous devriez l'être… Ah! vous n'êtes pas triste, au moins? On dit que les comédiennes n'ont pas de coeur, mais si c'est vrai, vous avez de trop beaux yeux pour n'être pas une exception… Je ne suis pas aveugle. Je ne suis pas sourd non plus et vous avez un petit ton de lassitude dans la voix… Pardon?… Ah! je croyais que vous aviez répondu

quelque chose… Non? Que les femmes sont mysté-
rieuses quand elles se taisent! Et je ne vois pas du
mystère partout. Je suis un réaliste sous mes dehors
de grand idéaliste… Comme vous êtes aguichante
quand vous dites «ah!» sur ce ton. Écoutez-moi. Je
sais que vos admirateurs cherchent à faire le vide
autour de vous, alors, si on leur jouait un bon tour,
hein?… Vous ne savez pas ce dont je parle? Oh!
que les femmes sont coquettes! J'ai envie de vous
enlever… Vous riez divinement… Laissez-moi
finir… Vous enlever pour dîner en ville avec moi…
En l'honneur d'un tas de choses agréables qui m'arrivent: nouveau travail, nouveaux contrats; toutes les
portes s'ouvrent. La vie est merveilleuse! Qu'en
dites-vous?… Oui, je sais bien que vous êtes déjà
engagée ce soir. Pourquoi dites-vous «prise», hein?
«Je suis prise.» C'est une phrase qui va me faire
rêver. Vous ne voulez pas vous libérer en ma faveur
ce soir, dites? Mes projets sont en voie de réalisa-
tion, au-delà même de mes espérances et il faut que
vous m'aidiez à fêter ça, chez Pépé par exemple, en
tête à tête, et après on irait danser… Quel dommage!… Vous ne le pouvez vraiment pas?… Avec
votre réalisateur et Bernard Neuville! C'est gentil
de me le dire. Et qui est votre réalisateur?… Non.
Je ne le connais pas encore. Et c'est même curieux
que vous le voyiez ce soir, car Paul-Émile Crépeau
voulait me le présenter hier… Si je connais Paul-
Émile! Un ami de collège, un vrai copain. Lui,
Gérard Laframboise et moi sommes toujours ensem-

ble. Eh bien, belle Marie, s'il n'y a rien à faire ce soir, je vous téléphonerai demain ou en tout cas très, très bientôt… Pensez à moi… Vous devriez mentir, ce serait si gentil… Au revoir.

□

Est-ce que je pourrais parler à monsieur Blain-Despâtis, s'il vous plaît?… Personnel… Léon Duranceau, de la part de mademoiselle Marie Marino… Bonjour, monsieur. Je me présente: Léon Duranceau, scripteur… Voici: en causant avec mademoiselle Marino tout à l'heure, j'ai appris que vous dîniez ensemble, et Marie m'a laissé entendre que vous seriez intéressé par une série d'adaptations que j'ai commencé à faire en vue de la télévision… Bien, d'abord il y a une pièce traduite du hongrois, l'auteur est déjà célèbre en Europe… Ferenc Lukas… Non? Pourtant Jean Vilar a failli la montrer dernièrement… Non? Ensuite, une pièce russe… Tchekhov… Celle-ci est moins connue que les autres; et puis une autre de Pirandello… J'aimerais vous montrer ça. Vous pourriez juger plus vite et je passe justement par Radio-Canada cet après-midi… Demain, alors? Quelle heure vous conviendrait?… C'est l'affaire de quelques minutes, vous savez, et Marie a semblé convaincue que vous seriez emballé de mon projet… En tout cas, monsieur Blain, monsieur Despâtis, je veux dire, je passerai de toutes façons et si vous pouvez me recevoir… Très bien. Au revoir, monsieur.

□

Allô? C'est moi, m'man. Je vais rentrer pour souper. À six heures et demie, sans faute, m'man… Oui. Certain, certain… Je passe par la bibliothèque prendre quelques livres et je m'en viens… À tout à l'heure, m'man.

AU CONCERT AVEC ROY ROYAL*

Ça, un pianiste? Dans la *Sonate en do*, il a mis plus de notes que Mozart n'en a écrites. Et vous appelez ça «un lyrisme débordant»? Et le Scarlatti du début, hein? Était-ce assez pointillé? Ah! Pour un beau programme, c'est un beau programme. Liszt, Medtner, Poulenc, tout en vrac. Du bric à brac. Je ne donne pas cher du bric; le brac peut valoir beaucoup pour un amateur de peinture. Quand l'exaspération me porte aux mauvais calembours!

...Fâché? Vous plaisantez. Il y a que je meurs de soif. Y a-t-il une buvette dans cette grange? Bon. Allons-y. Montréal est la seule ville au monde où l'on soit obligé d'écouter de la musique dans un Palais du Commerce. Je parle de villes, pas de bourgades. Comment, neuve? Elle n'a même pas l'excuse d'être une ville neuve, ça fait plus de trois cents ans... Montréal n'a pas grandi trop vite, mon cher, mais on a tout bonnement oublié de lui allonger sa che-

---

* Roy Royal avait fait une très jolie carrière de baryton-récitaliste en Europe, et de professeur de chant à Paris. Il a été l'un de mes *maestros* et un très grand ami.

mise, alors ce qu'il montre n'est pas beau à voir.

Bonsoir, Durant! Il n'y a rien d'indécent dans mes propos, nous parlons de Montréal. Bonsoir, mademoiselle. Vous venez d'apprendre comment il ne faut pas jouer du piano. Je vous suis, mon vieux. Votre jolie robe va me faire perdre ma mauvaise humeur. Mais, croyez-moi, allez-vous-en; qu'il y ait beaucoup de chaises vides. Oui, oui, je suis, je ne vous perds pas. Vous avez vu cette jeune personne? C'est jeune, c'est frais, c'est ravissant. À mon âge? Pas encore fou. C'est une élève de Pommeraud. Du talent? Elle n'en a pas besoin, regardez son visage. Toujours la même cohue et comme partout, toujours les mêmes gens, les abonnés héréditaires: de profession, si vous voulez. Il n'en est pas moins vrai que si, dans une métropole comme Montréal a la prétention d'en être une, il n'y a de concerts que pour ceux qui peuvent payer le gros prix, tout effort musical est nul.

Écoutez… faut pousser, sans quoi nous n'y arriverons jamais. Tiens, te voilà, toi! Tu n'as pas traîné ta femme ici, je pense! Je ne te le pardonnerai jamais. La meilleure façon d'écouter de la musique, dans cette ville, c'est de l'écouter chez soi. On sait ce qu'on va entendre. Il me demande si j'aime ça. Non, je n'aime pas. Grosse réputation, oui, grosse caisse. C'est une fumisterie bien montée. D'ailleurs, il était un enfant prodige. Tu vois ce que ça donne. Ne parlons pas des rares exceptions. J'ai horreur des enfants prodiges, surtout quand ils ont quarante ans. Comment ça, je suis sévère? Tu ne me diras pas que le concert t'enchante? Lagraski, Lagraski, ça ne veut strictement rien dire. Pour moi, une bière, mon vieux. Il n'y en a pas? C'est un comble! Alors, donnez-moi n'importe quoi, du moment que ça s'avale et que c'est froid. Voilà comment on fait les choses: c'est à vous dégoûter d'aller au concert. Oui, oui, je suis derrière vous; commandez, mon cher, l'entracte va finir, je sens ça. Alors, adieu, Arsène. Farceur! S'il aime ça, tant mieux.

Je viens de rencontrer un vieil ami. Il est ravi. Il trouve ça beau. Tant que les gens ne seront pas plus difficiles, il y aura des Lagraski. Je suis enchanté de vous rencontrer enfin, madame. Il y a longtemps que mon vieux camarade me parle de vous. Ah! mais je pense bien! D'ailleurs, il ne dit jamais de mal de personne. Voulez-vous boire quelque chose? Je vous en prie, tout le plaisir… Jeune homme, encore un… la même chose, s'il vous plaît. Fumez-vous, madame? Attendez. Vous appelez ça un récital? C'est une hécatombe. Les compositeurs malades de Lagraski: tous n'y succombent point, mais tous en sont atteints. Avez-vous pu suivre le Beethoven? Vous avez beaucoup d'intuition. C'est une sonate que je connais par coeur, cependant, je ne l'ai pas reconnue. Sévère! Voilà, je n'entends que ça. Qu'est-ce que ça veut dire, sévère? Parce qu'un monsieur tape sur un piano, ça ne signifie pas qu'il est pianiste. Mais non, mais non, mon vieux, il ne s'agit pas d'école, il s'agit de *musique*: jouer ce qui est écrit, tout simplement. Le dernier élève du Conservatoire vous dira cela. Je m'excuse, chère madame, de ne pas partager entièrement votre opinion. Dire que je le déteste... non. Je n'en fais pas une affaire personnelle. J'estime que ces gens-là sont dangereux pour la musique. Cette foule est énervée...! Mes hommages, chère amie. Ah! madame, je souhaite que nous nous rencontrions sous des auspices plus favorables à la discussion. Bonsoir. Voilà. Bonsoir, mon vieux.

Elle est jolie, la femme de Ménard; elle n'a que ça, d'ailleurs. L'avez-vous entendue? Non. C'est vrai qu'on ne s'entend pas ici. Le jeu de Lagraski, question d'école. Une école! Ils n'ont que ce mot-là à la bouche. Ce n'est pas une foule de concert, c'est un *stampede*. Inclinons-nous devant la force et retournons, retournons à nos places, voulez-vous? Et que ça en finisse. Tiens! tu es là, toi! Toi aussi? Il vous hypnotise, ce gars-là. Je suis venu pour entendre un artiste; on nous montre un bateleur. Ça plaît, oui, mais ce n'est pas *ça*, tu comprends? Il n'y a pas de frénésie qui tienne, voyons! qu'on laisse donc Mozart parler. Soyons sincères: c'est très mauvais. De l'exhibitionnisme et des fausses notes.

J'étais, l'autre soir, au récital de Gieseking, il y avait tant de monde qu'on suffoquait dans la salle. À l'entracte, je vois venir à moi Lecoutil, tenant son programme d'une main, ses notes de l'autre, tellement il est pressé de se débarrasser de la critique qu'il doit faire. «Eh bien? me dit-il. — Bonsoir, que je lui réponds. — Ravi de vous voir, mon cher. Hormis vous, je n'ai vu *personne* ici, ce soir. — Comment, personne? Mais on s'écrase, il me semble, et le public est chaud, lui fais-je remarquer. — Mais non, mais non, insiste-t-il. Untel n'est pas ici, ni une telle, ni une telle, ni une telle. Regardez bien. Il n'y a ici que des étrangers: des Néo, des têtes qu'on ne connaît pas, des Anglais. C'est un fiasco. Ah! Le grand homme en a bien perdu!» Or, écoutez-moi. Gieseking jouait ce soir-là comme un dieu. Comme toujours. Mais mon Lecoutil était morfondu. Madame X, mademoiselle Z, les *augures* enfin, n'étaient point présents. Pour le rassurer, je lui ai dit: «Voyons, j'ai entendu parler français derrière moi. — Vraiment? il y a donc des *Canadiens* ici? En tout cas, personne de *connu*.» Et il a fait l'article inepte que vous connaissez. Le «Tout-Montréal» aura beau donner du talent à Lagraski, vous me permettez d'être dissident. Hop! Qu'est-ce que j'ai reçu dans les reins? Vous êtes toutes pardonnées… Je ne me suis jamais tant fait assaillir par les jolies femmes. Si elles se taisaient, on leur pardonnerait encore plus facilement de vous écorcher vif. Mon cher, vous êtes un individu sans scrupule et ce n'est pas moi qui vous le reprocherai. Bonsoir, Théodore. Je retourne à ma place. Hein? Non. C'est à proprement parler abominable. Si je vais l'écrire? Tu penses bien que oui. Et avec joie encore. Tu es de mon avis? Nous aurions dû nous retrouver plus tôt. À tout à l'heure. On ira boire un verre si tu veux. Vous voyez, mon cher, il y en a au moins un autre qui pense comme moi. Ah! vous aussi? Vous vous rendez à l'évidence. Eh bien! ça me console.

CHEZ LE BOUCHER

Monsieur Cantin s'est retiré des affaires avec un gros diamant au doigt, un autre plus gros monté en épingle et beaucoup, beaucoup d'argent.

Il ne va plus à la messe qu'en Cadillac.

Il vient rarement faire son tour, sauf au temps des Fêtes où il tient à choisir lui-même *son* dinde. Pour les employés, il est toujours le boss.

Son fils qui lui succède a hérité de sa corpulence. Est-ce un gage de succès ? Il semble que tous les bons bouchers soient obèses. Marcel Cantin, fils de Roméo, n'est pas une exception. Il a de plus le teint fort en couleur, le cheveu gommé, l'oeil gouailleur.

Il peut porter un boeuf de l'Ouest à bout de bras, mais il sait dépecer un agneau de lait avec une délicatesse d'orfèvre.

Il a une manière qui lui est propre d'apprécier la clientèle. Sa boutique est-elle achalandée plus que de coutume qu'il barytonne :

— Tomate ! Y en a-t-y des p'lotes, à matin !

Les ménagères sont sourdes ou bien anglaises, car elles n'ont jamais le moindre sursaut.

S'il a besoin d'aide, il hurle :

— Ta!

Anita, la petite employée, redresse la crête et répond :

— Qu'est-ce qu'y a ? d'une voix de chat à qui on écrase la queue.

Elle seule ne le craint pas. Si elle descendait de ses talons aiguilles et si elle aplatissait ses cheveux frisés comme une perruque d'homme style Louis XIV, on la verrait à peine tant elle est minuscule.

Les autres commis passent devant Cantin fils en rasant presque le sol, car il est prodigue de bourrades. Par ailleurs, il ne lésine pas non plus sur les congés et les bonis, alors on travaille pour lui d'assez bon cœur.

Mouche, puce, perruche, moineau, guenon, Anita bourdonne, sautille, jacasse, siffle et grimpe. On sent qu'elle travaille par plaisir. Dans l'échoppe comme sur des tréteaux, elle fait son numéro avec l'enthousiasme d'un petit animal savant. Malgré son strabisme, son incisive en or, ses pattes en cerceaux et cette invraisemblable tignasse où s'accumulent les permanentes, elle a une cour d'admirateurs dont Cantin fils lui-même n'est pas le moins pressant. Aussi, chaque fois qu'il le peut, lui tapote-t-il gentiment le derrière, caresse à laquelle Anita réplique avec une force insoupçonnée, par un coup de talon pointu au tibia. Elle ne rate jamais son but; c'est comme si elle avait un œil dans la nuque. Et Cantin gémit, ravi au fond de la savoir si rétive.

— Aïe! Deux livres de pieds de cochon pour

madame Brisebois. Ta! le paquet pour Madame.

Il pourra tapoter à loisir quand elle aura à son doigt plus qu'une promesse de mariage.

Cantin sait bien à quoi rime la vertu des filles; son bon temps de garçon tire à sa fin.

Il essuie son coutelas sur son tablier. Les femmes se pressent devant les étals.

C'est agréable, quand même, de voir rentrer l'argent! Rien qu'à constater de quel air satisfait les gens ramassent leur colis et paient, on voit que la clientèle lui est attachée. Il n'attendra décidément pas vingt ans comme son père pour se parer de diamants. Où est Anita?

— Ta!

— Te prends-tu pour la bourgeoise? lui demande Ti-Luc, le commissionnaire.

— Je le serai quand je voudrai, lui répond Ta, en continuant de vernir ses ongles au milieu du trafic.

Et Cantin fils, qui entend cela, sent quelque chose lui agacer les dents.

LOVE ME, LOVE MY DOG

Ma chère Laurence,

Ce soir en regardant par la fenêtre, je vois deux hauts peupliers qui se détachent sur le ciel vert-bleu paon, un ciel qui a des airs d'opale noire, qui est, enfin, de la couleur que je préfère à toutes les autres.

Il n'y a aucun rapport entre la couleur du ciel et ma lettre. Je t'écris pour te parler de la pitié. La pitié ne ressemble pas seulement à l'amour : c'est l'amour; une sorte d'amour, si tu préfères. On tient généralement qu'un homme ne veut pas de cette sorte d'amour-là pour lui. Il se peut, mais s'il n'aime pas qu'une femme ait pitié de lui, il trouve sûrement bon qu'elle ait pitié des autres; néanmoins, laissons le général et venons-en au particulier.

Ce matin en me rasant, je me suis vu tel que je suis, et je suis un homme à tête de chien. Mes oreilles sont hautes, pointues, bien collées à mon crâne et ressemblent à celles de mon boxer à qui on a taillé les siennes bien avant que je ne l'acquière. J'ai le poil en brosse aussi dur que celui d'un lévrier d'Irlande. J'ai de bons yeux qui demandent pardon.

Ma bouche n'a rien qui la distingue d'une autre, mais quand je ris, j'aboie. Je gambade volontiers en marchant, et si les convenances me retiennent de poser mes pattes de devant sur les épaules d'un étranger sympathique, je n'en ai pas moins envie de le faire.

Toi, tu es délicate, tout à tour autoritaire et alanguie, tu as les os petits. Dans ton souffle, il y a toujours une odeur de fièvre très atténuée qui se lie à ton parfum, et ta féminité un peu maladive m'attire physiquement. Je ne sais pas pourquoi tu m'aimes. Tu te laisses faire sans que je sache si tu te résignes ou si tu calcules. Je me passe bien de le savoir : l'homme veut ce qu'il veut, la connaissance vient après. Or, tout en m'attirant, tu me rebutes, ou plutôt, lundi tu me plais, mardi tu me déplais; ou encore, tu es comme une médaille dont on ne peut supporter que la face.

Je vais mieux m'expliquer : tu me plais, car je te crois douce et savante. Tu as des qualités discrètes qui ne ternissent pas comme l'argent, mais qui ne brillent pas non plus, à se demander si elles sont vraies. Tu as de l'ordre, et tu ne dis pas non. Mais je cesse complètement de t'apprécier quand nous entrons comme hier chez Gatehouse pour choisir des poissons, et qu'en voyant les homards bruns, les yeux noirs, fixes, leur regard désespéré, leurs antennes qui remuent lentement, tu me demandes d'acheter ceux-là plutôt que les rouges.

Pour moi, le désespoir a des yeux de homards qu'on a plongés dans l'eau bouillante. Les homards rouges, quelqu'un les fait mourir : je ne veux pas que ce soit toi.

Tu n'aimes pas mon chien. Tu chasses les chats des voisins. Les pigeons, dis-tu, abîment les monuments et tu fais la guerre aux mouches. Tout ceci avec une fermeté douce et au nom de principes auxquels je n'adhère pas.

Les pigeons sont à l'édifice Sun Life ce que les moineaux sont aux arbres de mon avenue ; ils lui font presque palpiter les pierres. C'est leur calme atterrissage et leurs roucoulements pleins d'appétit qui donnent une âme au carré Dominion comme à la place Viger. Je pourrais avec lyrisme te chanter les rats d'égout, les chats de gouttière, les vers du carré Saint-Louis sans qui le gazon ne pousserait pas. Je te le dis tout clairement : je suis un animal si près de la terre, si en vie, que j'aime la vie où qu'elle se trouve ; un animal débonnaire, entends bien, pas un fauve. Les animaux, ne les prises-tu donc qu'en côtelettes, bouillis, et caetera ? Tu gardes tes sentiments pour le genre humain, m'affirmes-tu, et mon respect des bêtes t'agace plus qu'il ne t'amuse. Tu dis raffoler des enfants ; qui me le prouve ? Je t'ai vue gentille avec eux, mais eux ne sont que polis avec toi. Je ne pense pas qu'on puisse aimer les gens si on exècre ceux qu'un grand saint a nommés *nos frères inférieurs.* Un coeur généreux n'a pas ces compartiments : il aime son chien d'un amour d'homme et le pleure sans honte quand il le perd.

Un jour, je ne serai plus qu'une vieille brute,

lucide encore, j'espère, mais faible, inutile et peut-être malpropre. De quel air me donneras-tu ma pâtée? Tu seras une vieille dame excessivement nette, aux cheveux blancs bien bleuis, et tu porteras du mauve et des violettes. Et si je bave dans ma soupe, tu me mettras un tablier en pensant: le chien que j'ai épousé est devenu un vieux salaud.

Toute mon existence j'aurai envie d'acheter chez Gatehouse ou dans toute autre poissonnerie des homards pour les remettre à la mer, bien que ce soit impossible puisque nous sommes à cinq cent milles de la mer; tandis que toi, tu voudras les voir rosir à petit feu dans ta cuisine, sans pitié.

Étant revenu à la raison de ma lettre, la pitié, je crois t'avoir démontré que mon chien, ma tête de chien, et ces homards vivants que tu menaces, font partie d'un même règne et sont éternellement solidaires. Pas plus que l'ail ne peut avoir un goût de menthe, ces différences essentielles dans nos caractères ne se peuvent changer. T'ayant fait part de la disposition de mon esprit, je suis certain que tu verras aussi bien que moi l'inopportunité de mener nos projets de mariage à leur terme, et m'en remets à ton jugement.

LA TAVERNE

Le père d'Ubald avait laissé la moitié d'une grande bouteille sur la table. Il causait depuis un quart d'heure avec le barman. Il se tenait les épaules hautes et son cou semblait planté en leur milieu; accoudé au comptoir, il fumait rapidement. Il avait en somme un air de s'amuser, de se détendre qu'Ubald ne lui voyait guère à la maison.

Le barman, qui était aussi gérant de la taverne, ouvrait une bouteille de bière, la faisait glisser vers un garçon, épongeait le comptoir, vendait du tabac, des cigarettes, des allumettes et de la gomme à mâcher, comptait l'argent avec la machine, rendait la monnaie ou bien empilait sur le bar des sandwichs découpés en triangles isocèles et enveloppés de Saran. Il paraissait travailler fort. Il parlait sans arrêt, laissait la conversation pour crier « Salut ! » ou « Tiens, bonjour ! » ou pour demander « Monsieur ? », et puis la reprenait avec aisance là où il l'avait quittée, comme un champion de ping-pong ramasse les balles les plus fuyantes d'un tour de poignet. Il s'agitait beaucoup; sa voix grasse éclatait par moment; il riait, faisait des gestes: un homme placide qui débordait de vitalité, alors que le père d'Ubald limitait ses mouvements, parlait d'une voix sèche. Pour insister sur un point de la discussion, il se haussait sur le bout des pieds.

Ubald attendait sagement. Il était près de six heures. À la maison, on soupait à six heures et demie. Ça ne serait pas long. Il avait chaud dans son costume foncé. Il tâcha d'oublier que ça sentait le tabac, l'urine, la bière et aussi, le désinfectant dans la taverne. Ce n'était pas une de ces tavernes modernes aux murs de mosaïque blanche pareils à des murs de salle de bain, au plancher recouvert de sciure de bois, mais une ancienne taverne avec des crachoirs de cuivre par terre, une horloge ronde, des annonces de bière clouées sur les cloisons, un calendrier, une grande photo du premier ministre et des affiches qui disaient entre autres choses qu'il était défendu, de par la loi, de blasphémer dans les endroits publics. Tout ce qu'il voyait et entendait impressionnait Ubald. Demain, il raconterait tout ça à ses chums de l'école. Aux autres tables buvaient des ouvriers, un conducteur d'autobus, deux hommes jeunes vêtus de canadiennes à col de fourrure et des messieurs venus là pour «échapper à la censure et à la tyrannie des femmes», comme le fit remarquer le plus gros d'entre eux.

Ubald était donc parmi les hommes, dans le monde libre des hommes. Il se demanda pourquoi sa mère n'aurait pas eu le droit de venir le chercher, si par exemple son père tombait raide mort, ou si la taverne prenait feu; quelle puissance l'empêche-rait d'entrer ici? Il se sentit important bien qu'un peu effrayé.

Il regarda, les yeux tout ronds, un individu qui venait de dire, coup sur coup: «tabernacle, calvaire, le maudit torieu de baptême», méritant de ce fait tou-tes les sanctions de la loi: amende, emprisonnement, etc., sans parler de l'Enfer. Ubald examina les gens qui l'entouraient, mais personne ne semblait avoir entendu, personne n'alla quérir la police; et quand le regard du blasphémateur rencontra le sien, il baissa les yeux rapidement. Le type s'approcha de lui et, saisissant la bouteille à moitié pleine, lui demanda:

— T'as pas soèf?

Ubald dit:

— Non.

— Tu vas bouère, astheure, viarge! Quel âge que t'as, toué? J'te donne cinquante cennes si tu dis «calvaire».

Ubald glissa de sa chaise par le côté et alla retrouver son père.

— Popa, c'est le temps de rentrer.

— Oui. Encore une, Jos.

— On n'a pas le temps, popa! Faut rentrer chez nous.

— Attends, attends, Ti-Gars. On a été au parc Lafontaine pour voir les animaux, expliqua-t-il au barman. C'est pas une affaire longue! les animaux, ils sont presque tous décédés. Il rit de son bon mot.

— Popa! Y a un homme qui sacre derrière nous

autres. On va rentrer souper, eh?

— Ben oui, attends rien qu'une petite escousse, Ti-Gars.

L'homme à la bouche mauvaise retourna à sa table. Il titubait, il bavait. Ses compagnons lui versèrent à boire et l'un d'eux commanda trois nouvelles bouteilles.

La conversation entre le barman et le père d'Ubald reprit. Ils se remémoraient les plus belles parties de quilles qu'ils avaient jamais vues. Ubald étouffa un bâillement dans sa main. Il s'adossa au comptoir dont la baguette de cuivre lui faisait froid à la nuque. Des mots volaient au-dessus de sa tête : hauts simples, triples de 606, hauts triples, celui qui roulait les meilleurs simples pour un total de...

Ubald quitta le comptoir et, sans trop s'en éloigner, lut ce qui était écrit au mur, dans les cadres noirs. IL EST INTERDIT DE SE FAIRE SERVIR AU BAR ET DE BOIRE AU BAR. Ubald haussa les épaules; si son père trinquait avec le barman, c'est que sans doute, il en avait le privilège. LA VENTE DE BOISSONS ALCOOLIQUES AUX MINEURS EST INTERDITE. L'ENTRÉE DES TAVERNES EST INTERDITE AUX MINEURS. Pourquoi n'ont-ils pas le droit de boire? se demanda Ubald qui songeait aux mineurs de mines d'or. Parce que s'ils boivent, ils volent tout l'or, en déduisit-il, admirant une fois de plus la grande sagacité des lois.

Le type qui sacrait tout le temps était allé aux toilettes. Il en revint la braguette ouverte, les sourcils froncés dans l'effort qu'il faisait pour se diriger. Il oscilla sur ses pattes quand il aperçut le petit garçon et il éructa avec violence.

— Veux-tu voère le porträt de la reine ? lui dit-il.

Il fouilla dans ses poches et en sortit une poignée de piécettes qu'il déposa sur une table avec précaution.

— Viens-citte !

— Popa ! fit Ubald en allant vite tirer le bras de son père. Faut rentrer chez nous, astheure.

— Ça va faire ! cria Jos. le barman au saoulard. Rentre tes cennes, remmanche-toè et pis sors !

— Un p'tit coup, aïe, Jos. ?

— Non. T'est rentré icitte sur tes deux pieds, tu vas sortir d'icitte sur tes deux pieds, O.K. ?

Jos. posa la question en croisant ses énormes bras à la manière des athlètes, ce qui fit paraître ses biceps encore plus péremptoires.

Mais le père d'Ubald parut soudain se rappeler l'heure. Il vida son verre et paya.

— C'est correct, Jos. À la revoyure ! ajouta-t-il d'un ton satisfait, car c'est ainsi que saluait autrefois son défunt père et il tenait à cette expression, bien qu'elle semblât n'avoir plus cours aujourd'hui.

— Salut donc ! répondit Jos. en rangeant les billets de banque.

— Salut ! fit la petite voix claire d'Ubald.

Il avait repris toute sa désinvolture. Il mit son paletot, son chapeau gris pâle (un peu grand), tout à fait comme celui d'un homme et, par-dessus sa cravate papillon, il noua un foulard blanc. Trottant devant son père, il passa sous le nez du tocson qui lui avait fait si peur et que Jos. avait si bien dompté, et il le toisa du haut de ses huit ans. L'autre cracha par terre. Le père d'Ubald, poussant son fils, sortit en vitesse.

— On rentre chez nous, eh, popa?

— Ben oui, Ti-Gars. On va souper. T'as-t-y faim, mon Ti-Gars?

— Pantoute, déclara Ubald.

Il respira l'air froid avec reconnaissance. Il avait très faim. Il avait hâte de voir sa mère. Mais il sentait bien ce n'était pas là ce qu'un homme éprouvait au sortir d'une taverne. Et à la pensée qu'il serait un jour un homme, il se sentit tout fier et tout inquiet.

DANS L'AUTOBUS

Le conducteur

On lui avait dit que l'uniforme lui allait bien.
Il donnait une taloche à son képi, en grimpant sur
son siège le matin. «Ta casquette est croche!»
Qu'importe; ça lui donnait un air jeune, canaille. Il
clignait de l'oeil quand les passagères étaient jolies.
Il ne leur criait pas: «Avancez en arrière!»

La demoiselle

Elle était restée extrêmement chaste. Tout con-
tact humain la faisait frémir; elle voulait à tout prix
que ce fût d'horreur. Rester debout quand la foule
s'entassait, quand les hommes, le faisant exprès sans
aucun doute, s'appuyaient à son dos, quand leurs
mains frôlaient, froissaient sa jupe, quand il y avait
tant de monde que la chaleur des corps pénétrait son

corps, qu'elle avait beau se raidir, écarter les coudes, chercher une place où les autres se tiendraient éloignés d'elle, ne fût-ce que d'un quart de pouce : rester debout était abominable.

À quoi donc pensaient-ils, tous ces gens qui ne se reverraient plus et qui pourtant se pressaient, se touchaient, qui se respiraient dans une intimité ni plus ni moins qu'infernale et qui gardaient un visage indifférent ?

Le petit garçon

Rien que des grandes personnes. Il allongea le cou pour voir s'il n'y avait pas quelqu'un d'autre comme lui. Non. Un petit bébé dormait dans une couverture rose, dans les bras d'une femme. Un bébé, ça ne comptait pas. Beaucoup de femmes, beaucoup d'hommes. Les femmes lui souriaient. Pourquoi lui souriaient-elles ? Il les trouva laides. Au reste, sa mère ne semblait pas les connaître. Il se tortilla. À côté de lui, un homme tenait une petite valise noire sur ses genoux.

— Pourquoi c'est faire, moman ?

— C'est une boîte à lunch. Grouille pas, Ti-Jules, tu donnes des coups de pied au monde.

— Quoi c'est ça, une boîte à lunch ?

Pas de réponse. Il tourna le dos à la foule en

s'agenouillant sur le siège, face à la fenêtre. Il s'écrasa le nez sur la vitre et, regardant tomber la pluie, se mit à chanter.

Le monsieur obèse

Pousse, pousse, se disait-il. Lui, il ne broncherait pas! Il s'accrochait à la poignée de métal fixée à même le dossier du double siège. Depuis vingt minutes, on faisait tout pour l'arracher de là. Rien à faire, mes amis, je tiendrai bon. Tenir bon jusqu'à la mort, c'est dans mon caractère. D'ailleurs, le moyen de faire autrement? On n'a pas le choix. Si on ne veut pas tenir bon, on meurt plus vite. La vie, c'est quand même tout ce qui nous reste, à nous autres, et la seule chose dont nous soyons sûrs, au jour le jour, bien entendu. Il avait remarqué que la dame au parapluie descendrait bientôt. Elle avait un air à ça: trois fois, elle s'était penchée vers la fenêtre comme pour vérifier le nom des rues et son voisin en paraissait irrité. Elle se souleva à demi pour tendre son manteau sous elle. Quand il pleut, les vêtements se froissent, les visages aussi, on croirait. Elle se souleva encore, lui donnant une fausse joie. Il faillit se fâcher, lui demander d'aller attendre près de la porte. Il essaya d'oublier combien ses pieds le faisaient souffrir. Il relut les réclames qui tapissaient l'autobus en une sorte de frise au-dessus des têtes : gomme à mâcher, jus de tomates, mouchoirs de papier. Pas intéressant. Les industries devraient annoncer leurs produits d'une autre manière, avec des devinettes ou des farces illustrées par exemple. Le public a toujours besoin de rire. Le public est puissant ; on essaie d'attirer son attention et surtout de lui extraire des poches ses derniers cents, mais qui l'aime, le public ? qui en prend soin ? Derrière lui, quelqu'un se leva dont la place fut aussitôt occupée. Il en ressentit presque de l'humiliation et puis se ressaisit : un hasard… Il tenait à son système. Si toutes les places étaient prises, on devait repérer le prochain voyageur susceptible de descendre, se mettre devant lui et ne plus bouger quelle que soit la pression de la foule. Il fallait avoir l'oeil exercé ; plus, de l'intuition. Ainsi, cette femme… Il y eut un arrêt. La dame au parapluie arrangea son sac, tira ses gants. L'autobus repartit. Le gros homme souleva un pied et puis l'autre afin de les reposer à tour de rôle. Il serait juste, humain, que les hommes qui travaillent huit heures d'affilée debout derrière un comptoir aient les moyens de prendre un taxi pour rentrer chez eux au lieu de rester une heure de plus debout dans un autobus brinquebalant. Il serait tout au moins juste, humain, que la Compagnie mette plus de véhicules à la disposition du public afin que tout le monde puisse s'asseoir. Le public est traité comme s'il n'était rien. Pourtant, le public, c'est nous, c'est moi. Je suis quelqu'un, moi ! Ce n'est pas tant le malheur qui rend la vie pénible que toutes ces misères de tous les jours qu'il faut endurer, jour après jour, sans répit, sans espoir autre que celui de vieillir, encore que la vieillesse ne mette pas toujours un terme...

La bonne dame

La dame au parapluie n'était pas fatiguée. Elle voyait le monsieur obèse osciller de gauche à droite et froncer les sourcils avec une telle expression de souffrance qu'elle lui aurait volontiers cédé sa place bien qu'il lui restât au moins dix rues avant d'arriver à son coin, mais ce n'était pas l'usage. Enfin, il descendit sans la regarder; elle eut un serrement de coeur. S'il avait été ouvrier — on sait qu'ils travaillent dur, ces gens-là — ou bien infirme! Mais il n'était que gros. Elle fut navrée, elle se fit des reproches: quand on est charitable, s'occupe-t-on des conventions? On négligerait peut-être ces conventions idiotes si on était certain que celui auquel on veut faire un peu de bien comprenne, ne soit pas choqué. Or, sait-on à qui l'on s'adresse? Vraiment, pour garder son âme en paix, il faudrait porter des oeillères. Les égoïstes ont sans doute la vie plus facile que nous, pauvres coeurs sensibles. La prochaine fois…

L'autobus s'immobilisa de nouveau. Mon arrêt!
La pensée qu'elle devait descendre tout de suite
balaya ses remords.

LE PROMENEUR DE MONTRÉAL

Au fond d'une ruelle, entre deux rangs de toits, un ciel vert de cette transparence de verre qu'ont certains ciels canadiens. D'un arbre, l'envol d'un moineau. Hors d'une maison riche, un tricycle et un chat. Devant un étalage, les yeux clairs d'un badaud. Dans un tram, beaucoup de monde, las sans doute et affamé. Les autos. Les gens en marche. Le bruit. Le geste. La parole. La pensée sans suite.

Je retourne à la maison où l'on m'attend chaque soir : chez moi. Chez moi, cela veut dire le lieu auquel j'appartiens bien plus que le lieu qui est à moi ; je vais m'y ranger comme un objet. J'y retourne sans me presser, car je me suis hâté pour rien toute ma vie jusqu'à ces derniers temps. Quelque chose qu'on m'a dit s'appeler infarctus du myocarde a mis un frein à cette bousculade qui durait depuis quarante ans. Bousculade est une expression encore trop faible pour ce que je veux dire, car nous étions plusieurs à nous précipiter dans la vie, tête baissée, à toute vitesse, sans bien savoir où nous allions, ainsi qu'un troupeau de bisons partis en peur. Il y avait moi qui voulais vivre un train d'enfer, moi qui devais arriver le premier, moi qui entassais les expériences exotiques, moi qui usais ma force jusqu'à la corde, moi qui pensais que j'étais, en ce monde, immortel. Il y avait d'autres êtres qui me poussaient encore, sans que j'aie su qu'ils étaient en moi.

Aujourd'hui, je marche avec lenteur afin de gagner par la douceur ce que je n'ai pu attraper autrement : ce qu'on nomme la joie de vivre, ou mieux, la conscience de la vie. Je ne tiens peut-être qu'à un fil, mais je ne lui pèse guère, car je m'allège de plus en plus et je remue de moins en moins. Malgré cela, je me veux vivant, bien vivant, bon vivant et, ce voulant, j'écoute et je regarde battre la vie des autres, ce qui m'est une façon de multiplier la mienne. Où que j'aille, je me promène, j'observe. Je n'ai plus que cela à faire, du reste.

Il n'est rien d'aussi charmant que la rue. Les gens s'y croient en sécurité, incognito. Ils portent généralement leur figure propre; ils parlent franc de ce dont ils n'oseraient parler chez eux. Même quand ils se taisent, je les dérobe, je les devine ou je les invente. Cependant, il est le plus souvent inutile de les imaginer, tant ils sont transparents dès qu'ils se croient seuls, et si je n'ai pas fait cette découverte-là le premier, je l'ai, en revanche, faite sans l'aide de personne. L'honnêteté d'une expression de visage — j'entends par honnête ce qui n'est pas feint — qui reflète le souci présent, l'état d'âme, tente mes instincts généreux. Elle les tente vainement, c'est entendu. Est-ce que je ne ferais pas s'enfuir l'infirme au front buté, qui frappe si fort le sol avec sa canne, si je lui disais : «Mademoiselle, je vous comprends, je comprends tout ce qu'il y a de tragique derrière votre agressivité. N'enragez pas tant d'être boiteuse, car vous vivez et vivrez peut-être encore longtemps et moi, je suis plus qu'à demi mort.» Elle est, de plus, courte, presque naine et laide avec des yeux pleins de colère et de désespoir; et sa canne martelant le trottoir, elle semble vouloir défier l'humanité tout entière de passer à côté d'elle en détournant le regard. Je n'ai pas de ces pudeurs — je ne crains pas le malheur des autres au point de m'en détourner —, mais j'en ai d'autres.

Par exemple, je me vois mal sautant au cou de l'immigré qui sert d'esclave à mon garagiste afin de lui expliquer qu'il est mon frère, que je l'aime, qu'après cinq ans il sera un Canadien tout aussi bon que moi; canadien, c'est-à-dire affranchi. Il le sait, d'ailleurs. Il deviendrait cramoisi à la pensée que je pourrais croire qu'il se plaint de son sort; mon extravagante sollicitude serait mal interprétée; elle lui rappellerait peut-être aussi qu'il a vu pire, lui, l'échappé du monde concentrationnaire.

Et le petit pauvre que je trouve ravissant, si je l'habillais de neuf, il serait mis en pièces par ses frères et soeurs. Bref, il est clair que, pour vivre vieux et toujours bien portant, la générosité instinctive d'un homme, laquelle procure déjà une immense satisfaction personnelle sitôt sentie, ne doit pas se manifester autrement qu'en paroles. Si Jésus avait dit :

«Aimez-vous les uns les autres, car c'est le seul moyen par lequel vous serez sauvés»… Mais Il n'a pas dit cela, pas exactement ni précisément cela. S'Il l'avait dit, l'Église ne tiendrait pas debout à l'heure qu'il est. S'Il l'a dit et qu'on ne l'a pas rapporté, cela revient au même. Ce sont des questions qui me préoccupent en dépit du bon sens, depuis que je suis moins certain de revoir le soleil lorsque je me couche.

Pour échapper à ces pensées morbides, je me promène et je m'intéresse au va-et-vient de la foule; lorsqu'un visage me ramène à mes tristes pensées, j'en regarde vite un autre.

La foule montréalaise n'est pas très animée, sauf rue Saint-Laurent, et elle est assez terne, assez docile. Chercher et trouver une tête intéressante là-dedans, c'est comme faire la chasse aux papillons rares; seul un amateur ou un collectionneur me comprendra.

Samedi soir

Samedi soir, rue Saint-Laurent — les spasmes du néon, les odeurs de saucisses, de patates frites et de *gefiltefish* — l'homme n'est jamais isolé. J'aime à me l'imaginer capitaine ayant livré son fret, matelot, maquereau, commerçant: il en est mille espèces, ou homme-sandwich, ou «collet blanc». L'homme, enfin, est prince, maître, rue Saint-Laurent, le samedi soir. Il est homme à tout faire.

Il est mâle ou femelle, ou bien a oublié tout ce qu'il fut, et vieux, mendie sans foi, pour voir s'il y a encore des fous parmi les sages qui se fourvoient.

La foule ici a tous les visages de la pègre du monde, toutes ses couleurs, toutes ses sueurs. Et dans cette foule particulière à certaines rues du monde, on ne distingue pas trop la pègre du peuple. On y sent l'homme, on y sent la race humaine, l'animal à deux pattes qui mène la nature tant qu'il peut, l'humanité soufflante, celle qui a un coeur drôle, un ventre qu'il faut remplir avec discernement et des idées sur tout.

Il n'y a pas ici de foule précise, encadrée : la foule des acheteurs, des clients, des patients, des spectateurs, des auditeurs, des esclaves à salaire, des usagers de la Compagnie des Transports, des électeurs, des faiseurs de queues, de grèves, de révolutions. C'est au contraire une foule imprécise parce qu'elle est faite de gens très remarquablement individualisés. Leur simple présence dans ce secteur, qui va de la rue de Lagauchetière à la rue Sainte-Catherine, les marque. Ici, on ne vend pas de bondieuseries. Il est toujours possible que ceux-ci et ceux-là aillent au théâtre, au marché, au restaurant chinois, mais, s'il vous plaît, ne pas oublier que, derrière ces courtes façades, on fait peut-être l'amour éclairé par trente-six chandelles, on boit peut-être de l'alcool de bois ou de l'éther, on joue peut-être sa dernière paye, sa femme ou sa peau. Tout ceci est probable.

Pour cette foule déambulante, ou qui va quelque part d'un pas ferme, la rue Saint-Laurent est, je crois, la principale rue de la ville, toute la ville en la rue, le centre des affaires de toute première importance. On l'appelle encore en anglais: la *Main Street*; ne dirait-on pas que le monde entier parade sur la *Main*? Cette foule est une faune pour moi — et je n'aime rien tant — originale et dangereuse. Je me trempe dedans, je m'imbibe d'elle, enfin je la respire par tous mes pores et je m'en gonfle. Je ne suis plus un paquet d'os, un insecte desséché, blanchi, un quelconque bourgeois souffreteux, non pas! Tenez, je suis comme ce grand gars bien moulé dans son chandail, qui a des yeux polissons et du sang rouge et chaud plein ses grosses veines; et je suis comme ces bonshommes en *mackinaws* rouge et noir qui tanguent en marchant. J'ai, moi aussi, le feu aux joues, l'éclair aux yeux, des mains énormes pleines de désirs. Je deviens la foule, vraiment, j'en vis! Je vis ici autrement qu'ailleurs, autrement plus qu'ailleurs. Elle m'excite, c'est certain, mais je puis l'observer avec détachement s'il le faut.

Ainsi, je vois entre ses rangs de bonnes filles: servantes, vendeuses, ouvrières, deux par deux ou bien avec leur homme; elles vont au cinéma, aux «vues». La tête hérissée de bigoudis ou bien les cheveux épinglés en petites rondelles sous des mouchoirs fleuris noués en turban, afin d'être bien frisées demain à la messe, elles sortent ainsi. Personne ne leur dira, Dieu merci, que ça ne se fait pas. Et pourquoi ça ne se ferait pas? Elles le font bien! Sur leurs hauts talons grimpées, fardées à se demander comment leur peau résiste, les bonnes filles ont le regard droit des femmes toujours menacées, capables de se défendre depuis l'enfance. À vue d'oeil, elles ne sont pas très distinctes de celles qu'on nommait les guidounes dans mon temps. Mais un promeneur plein d'expérience voit la différence. D'abord, la guidoune a le regard assuré d'une femme dont on aura toujours besoin. Et puis, elle a souvent la jupe plus courte, plus collée aux fesses, la démarche plus traînante, un manteau de fourrure, vraie ou fausse, à poil long. C'est même curieux ce goût des guidounes pour la fourrure à long poil. Ni la bonne fille au bras de son chum, ni la guidoune soutenue de loin ne craignent les gens comme moi.

Mes instincts de jeunesse ne sont pas émoussés, ils ont reflué vers mon cerveau par la force des circonstances; cela fait sans doute un voyeur pas très ragoûtant et, est-ce scrupule? je trouve plus laids ces péchés d'intention ou d'imagination que ceux que l'on commet tout bonnement avec son corps, sans y penser, quand on en a les moyens. Bref, ces femmes, je les crois incapables de parler pour ne rien dire, de parler faux, de parler en mal d'autrui; elles ne s'inventent pas, c'est peut-être moi qui les invente et je ne me souviens peut-être pas trop bien des jours d'autrefois que j'allais d'une petite amie à l'autre, mais enfin, il me semble que celles-là, elles ne se masquent jamais; l'une a ses bigoudis, l'autre son oeil canaille, une personne avisée ne s'y tromperait pas. Elles ne nagent pas entre deux eaux. L'une et l'autre respectent le prêtre et disent le chapelet. Elles sont sauvées. Oui, la guidoune itou, qui ne sait rien faire d'autre d'elle-même que de se prêter à tout venant. Ni l'une ni l'autre ne chercherait à vendre qui sa vertu, qui sa liberté, car elles ne proposent pas outre mesure. On rencontre peu souvent chez l'homme honnêteté similaire. Ah! que je les admire ces femmes qui ne feront jamais d'histoires et qu'il me plaît d'imaginer leur simple intelligence!

Femmes reposantes, vous êtes les êtres que je préfère parmi tous ces individus puissamment colorés, palpitants, aux traits robustes, dont les voix sont comme une musique épaisse, une musique d'accompagnement au ballet de la démarche, du geste, de l'aller et retour, de l'attente ou de la chasse qui se danse ici. Vieux romantique refaisant pour son compte l'apologie des femmes qu'on dit perdues, je me suis égaré sur cette scène. Pauvre spectateur, que vient-il chercher ici? — on dirait que je m'enivre, l'air est vif — un palliatif à son ennui, un regain de verdeur, n'est-ce-pas?

Mes yeux vont des gens aux bâtisses, s'accrochant parfois à un détail en relief. Voici le Monument National; au juste, qu'est-il donc cet édifice Belle Époque? Autant qu'un aubain pourrait en juger, un théâtre et un escalier. Au faîte de l'escalier, le buste du sieur Duvernay, qui rappelle par ses proportions les têtes de l'Île de Pâques. Il s'y donne encore des spectacles d'opérettes, des comédies yid-dish. Comme tout ce qui appartient à la rue Saint-Laurent, il est bizarre et indispensable.

Je vois maintenant, appuyés à la façade d'une taverne, quatre jeunes gens de la ville, *youths of the town,* comme dans le théâtre élisabéthain, aux épaules fausses telle la pierre qui les soutient. On rencontre beaucoup chez les Blancs de notre époque cette quasi-absence d'épaules. Cela proviendrait-il d'un défaut de nutrition ou bien d'un manque d'exercice durant la croissance? Ils ont des clavicules et des bras, d'où la vogue des bourrures d'épaules pour donner une certaine tenue à leur vêtement.

Ils portent leurs plus beaux habillements jaune-beige et bleu-pâle, pantalons se rétrécissant à partir des genoux, vestes à mi-cuisse, chapeaux à calottes basses trop larges pour de si petites têtes; sur leur visage, une expression de généreux crétin. Ce ne sont pas des étudiants, des ouvriers non plus. Dans quelle classe faut-il les mettre? La vraie crasse ne se récolte pas dans leur touffe; il faut être autrement finaud qu'ils ne sont pour être promu bandit. Ils restent là des heures durant — prennent-ils racine? — à regar-der passer le monde. Et le monde passe, la vie aussi. Ils feront de beaux morts, un de ces jours, comme moi, ni plus ni moins que ceux qui agissent et s'éver-tuent... Morale? Il n'y en a pas. Je me demande de quoi ils rient, sûrement pas d'eux-mêmes, de quoi ils parlent. Au reste, parlent-ils tellement? Le leur demanderais-je? Mais non; d'abord, ils ne m'intéressent que parce qu'ils font partie du décor et puis, autant avouer que j'ai encore trop peur des autres pour m'adresser à un étranger même s'il a une allure intéressante, à un étranger qui n'est pas de mon milieu surtout. On ne peut pas prévoir les réactions de ces gens-là. Surtout ici, rue Saint-Laurent. Oh! je ne crains pas les coups de couteau, il y a quand même la police, on ne laisse tout de même pas ces gens-là sans aucune surveillance; et si vous ne vous risquez pas dans un *blind pig,* dans une de ces buvettes clandestines où l'on joue, où l'on achète et vend des gueux et gueuses de tout âge, vous êtes en parfaite sécurité.

Elle n'est pas partout si mauvaise qu'on le croit, la rue Saint-Laurent. Les gens de mon monde la considèrent avec tolérance, une tolérance sans doute un peu dédaigneuse.

Depuis la rue Sainte-Catherine jusqu'à la rue Mont-Royal, elle ressemble à l'artère principale d'un ghetto; c'est pittoresque en diable, mais pas très propre. Les Juifs hongrois, polonais, autrichiens, russes, etc., y tiennent boutique ou bien y ont des magasins de gros, des ateliers de confection pour hommes, femmes et enfants, de petites fabriques de toutes sortes. Ils sont aussi revendeurs, traiteurs et charcutiers, tailleurs, bouchers ou *moals.* On en voit plusieurs se promener en lévite, les cheveux longs et frisés leur encadrant les joues, portant cette barbe terrible qui leur cache la moitié du visage et ce chapeau noir rabattu sur les yeux.

À vrai dire, je ne suis pas antisémite, mais se lavent-ils jamais, ces Juifs jaunasses, et leur faut-il être sales pour pratiquer l'orthodoxie ? Ils passent à côté de moi comme si je n'existais pas, avec, je crois, un air où l'orgueil se tempère de nostalgie, avec une sorte d'humilité fière comme en portent les rois exilés, les fauves encagés, les gens qui sont tombés de haut.

Je ne viens pas ici seulement pour entendre parler le yiddish et toutes les langues de l'Europe, bien que je ne les comprenne pas, mais pour voir aussi des faciès étranges. La rue Saint-Laurent me donne l'impression de voyager, et plus encore de choir soudainement en plein mitan de ce pays libre dont on parle pour en souhaiter l'existence, sans croire qu'il existe pour de vrai. Et je suis un homme retrouvé parce qu'égaré au milieu des étrangers. Si je perpétrais un crime, qui me chercherait parmi ces métèques ? J'entrerais ici pour acheter des tomates vertes et des concombres fermentés, et la police, me côtoyant, passerait outre et penserait peut-être que je n'ai pas une tête de Canayen.

Ce que je dis là implique que la crapule est canadienne — je pense qu'elle ne l'est pas nécessairement, bien que, dans sa quintessence… — et qu'on juge de la culpabilité d'après la tête, quoique… Mais au fond, cela se passe souvent ainsi. La liberté, est-ce donc être anonyme ? Est-ce n'appartenir à rien ni personne ? Est-ce faire ce qui nous plaît sans qu'on vienne nous déranger ? C'est un peu tout ça ensemble et puis autre chose aussi que j'ignore, que je ne possède pas puisque, dans ma quête, je viens ici pour en obtenir, tout au moins, l'illusion.

Ainsi, le samedi soir, je tends à n'être qu'un promeneur sans identité afin de m'identifier à ceux qui vont et viennent. J'oublie un instant qu'il me faudra rester là où l'on m'attend sans hâte, et quand il arrive, ce moment de retourner chez moi, j'ai bel et bien le sentiment de «prendre mon trou», selon l'expression de mon père. Qui m'oblige à rentrer? La fatigue, pardi! Elle me guette, la mort à ses côtés, du coin de l'oeil, mais, connaissant mes limites, je les déjoue toutes les deux.

M'habituerai-je jamais à cette sorte de qui perd gagne? En marchant, je hume l'air chaud, l'odeur de pain de seigle que renvoie dans la rue un delicatessen ou une boulangerie. Je m'approvisionne avidement de toutes ces images: le marché en briques grises, les étals de viande cachère, les boutiques où l'on dégotte les épices rares, les magasins des importateurs grecs, libanais, cypriotes, les cercles de billard et de jeux de quilles, les dancings, les bars bleutés de néon, les magasins 5-10-15, les maisons de hardes à louer, les *Magyar Etterem*, et enfin, montantes, descendantes, les silhouettes éclairées par le vert, le rouge, le bleu violacé des affiches lumineuses. Je voudrais me souvenir de toutes ces images et les déballer de ma mémoire une par une lorsque je suis seul et que je m'ennuie, comme un enfant qui sort ses soldats de plomb un à un de leur boîte et qui les examine longuement.

Il en faut quand même de l'invention pour créer sans arrêt des milliers de milliards de visages différents! Mais qui le mène donc, le monde, ce monde qui se crée à chaque instant, éclate, s'élance, se dépasse, se disperse, s'assemble, commence et recommence dans l'infini fini de son temps? Ne suis-je pas, moi, ce soir, rue Saint-Laurent, comme une sorte d'étoile en marche? Quelqu'un me mène-t-il? J'en crois ce que je peux, selon que je suis tour à tour cynique et ingénu.

Les mendiants

Y a-t-il cent mille chômeurs dans la ville, cet hiver? Moi, j'ai chaud et le ventre bien bourré. Y a-t-il cent mille chômeurs? Je ne les vois pas. Où nichent-ils donc? Sont-ils honteux, perplexes, amers? Bouillent-ils de rage, crèvent-ils de froid, de faim, de désespoir? Et, préparant une révolte, rêvent-ils de noyer dans le sang toute leur rancoeur? Qu'est-ce que cela me fait! Je suis, avec un million et quelque sept cent mille autres individus, je suis assis sur eux, assis sur la misère fermement installée, sur l'impuissance de ces cent mille malchanceux dont nous n'entendrons pas le dernier mot, le dernier cri.

Mon état me déprime! Il faut que se taise la complainte, plainte, plainte des pauvres qui chante en moi. Penser à autre chose, vite, sinon devenir malade. Ce que je ne fais pas pour les autres me pèse sur la poitrine. C'est absurde d'être sensible à ce point. Je donne à qui demande. Je ne suis pas saint Vincent pour aller chercher le malheur jusque dans sa tanière.

Je n'irai pas faire rire de moi par mes concitoyens. Je ne suis pas fou. Je ne vais pas gaspiller pour des gueux les quelques bonnes années qui me restent. Je donne à qui demande. Au violoneux accroupi près du magasin, je donne. Est-il plus prospère que moi? C'est ce qu'on prétend, mais cela ne gâte pas ma bonne intention. Au manchot qui porte un moignon gris à sa casquette pour remercier les passants généreux, je donne; d'ailleurs, l'orgue de Barbarie, c'est gai, il faut encourager ça; au cul-de-jatte, je prends un crayon et lui remets une belle pièce; à la marchande de bonne aventure… Tiens! où est-elle? Je l'ai vue au même endroit pendant vingt ans; elle se tenait dans la porte d'une banque et ses perruches, sur un signal, vous tendaient une petite enveloppe avec votre horoscope dedans; cela coûtait dix sous. Elle n'y est plus.

Hélas! les mendiants disparaissent. Quand il n'en restera plus aucun, on en parlera comme du «bon vieux temps» sur un ton nostalgique, pour dire que la misère s'en est allée des rues de Montréal. J'admets qu'on s'en attriste: un mendiant sous la neige tombante, un violon grincheux, un orgue de

Barbarie, ça rend Noël plus Noël, avec les fourrures, les paquets brillants et les carillons.

Enfin... il y aura toujours l'Armée du Salut pour mendier, et les soeurs, et les auxiliaires bénévoles des oeuvres de charité; on aura toujours la main à la poche.

Les hypocrites, c'est-à-dire les bourgeois de ma classe, tiendront ma franchise en abomination. Mes propos les concernent, ils pensent ce que je dis. Je consens pourtant qu'il ne soit jamais très drôle de se voir dans une glace quand on est aussi laid. Et les chômeurs? Les journaux affirment qu'ils existent; qui les a jamais vus autrement qu'en grosses manchettes à la une? Autrement qu'en chiffres? Cent mille chômeurs à Montréal, ce sont des statistiques, ça n'a rien d'humain. Ce n'est d'ailleurs pas mon affaire. Le mendiant qui me sollicite directement, ça, c'est mon affaire! Je lui donne ce que je peux; je ne lui donnerai pas mon pardessus, pas même la moitié, je ne suis pas saint Martin. Non, je ne distribuerai pas mon patrimoine pour suivre Qui vous savez. Je préfère être triste, un vieux jeune homme riche et triste.

Au parc

Printemps, verdure, foule menue.

Où qu'on s'avance, on bute sur une voiture de mioche ou de poupée, sur une bouteille vide, sur un tracteur ou une locomotive. Une balle, une corde, un chien vous passent dans les jambes; il y a bien de vastes espaces traversés de loin en loin par quelqu'un mais moi, je viens au parc pour voir du monde. Près des jeux de dames et de ping-pong, près de la mare aux canetons, près de l'étang aux bateaux, près du tennis, de la plus haute glissoire et du jet d'eau, il y a plus de monde; et en particulier près des balançoires où je préfère m'installer.

Je ne comprends pas les enfants. Ils m'étonnent sans cesse. Ils forment une société à leur mesure où déjà la ruse, les traités, les conflits, le commerce manifestent qu'ils sont des humains. C'est naturellement la raison du plus fort qui est la meilleure, hormis qu'il arrive au plus fin d'avoir raison du plus fort, tout comme chez les grands. L'étude des enfants aide à percer le mystère de l'homme; elle m'oblige tout au moins à reconnaître une chose : qu'il est bien peu d'adultes sur terre.

Quand, par chance, il y a une place libre sur un banc près des jeux, je m'installe. Nul besoin de feindre, je puis observer autant et aussi longtemps qu'il me convient; cette gent n'a rien à dissimuler au vieux monsieur qui la regarde.

Deux petites Sud-Américaines accaparent toute une rangée d'escarpolettes. Elles en occupent chacune deux : l'une pour s'asseoir, l'autre pour suspendre leurs pieds. Leur nurse, sur une cinquième, la plus basse de toutes, leur chante des chansons espagnoles, sans égard pour ses mollets qui traînent par terre et sans se rendre compte apparemment que certains marmots, qui voudraient bien se balancer aussi, la surveillent d'un air calculateur.

Les autres escarpolettes sont prises par des enfants juifs qu'un tout jeune Anglo-Saxon exsangue pousse à tour de rôle en suppliant qu'on lui donne enfin son tour.

Les petites Sud-Américaines ont des robes brodées, chaque jour une nouvelle, et ne se mêlent pas aux autres. Elles sont hautaines, distantes, et semblent croire que le parc tout entier est leur domaine. Qu'elles arrivent ou qu'elles partent, il leur faut tout le chemin, et la plus jeune, tout à l'heure, a fait trébucher une assez grosse dame qui passait près d'elle. En manière d'excuse, la nurse a dit : « Elle n'a pas deux ans. Sa sœur aura trois ans la semaine prochaine. » La grosse dame s'est contentée de sourire d'un air effrayé. Elles sont courtes, grasses, pas jolies, et leur aplomb est si formidable que les autres humains, se sachant tenus en respect, leur cèdent presque toujours le terrain.

Mais voici qu'une famille d'immigrés hollandais s'amène. La maman, affable, mince, a cet aspect distingué qui en impose. La nurse se lève et, sans paraître se presser, remet en liberté les balançoires superflues. On se jette dessus; le petit Anglo-Saxon aussi, mais il arrive trop tard. Il pince les lèvres. Il retourne à ses tyrans qui l'appellent:

— Poussez-moi! Poussez-moi! Non, moi! Pas lui, moi!

Alors, il se penche à l'oreille d'une petite Juive:

— Si vous obligez Nathan à me céder la place, je vous pousserai très fort, très haut, dit-il.

— Nathan! fait la fillette. Allez boire puisque vous en avez besoin. Je tiendrai votre balançoire. Personne ne la volera.

Nathan se laisse persuader d'autant plus que le petit Anglo-Saxon susurre d'un ton soumis:

— Allez, dépêchez-vous. Je vous pousserai très fort.

Nathan va donc à la fontaine et, quand il revient, trouve le pousseur assis qui exige d'être poussé. Fureur. Hurlements.

— Il me l'a arrachée des mains, explique la complice. Maintenant, poussez-moi, Nathan.

Après ce tour de passe-passe, le petit Anglo-Saxon n'a rien perdu de son air innocent. M'est avis qu'il ira loin! Dans le carré de sable, des bébés jouent à se lancer du sable à la figure; leurs mères n'interviennent pas. Ce serait de mauvaise psychologie, sans doute. Au pied de la glissoire, il y a une flaque d'eau qu'on n'évite pas, *exprès* d'après ce que je vois.

En marge de ces jeunes animaux raisonnables qui apprennent à vivre, va une petite fille qui ne ressemble à aucun d'eux. Elle est seule, elle est maigre; on voit ses omoplates sous sa robe terne. Elle tient à bout de bras une de ces poupées modernes, incassables, lavables, frisables et inexpressives. Elle la tient de manière à lui faire regarder le parc, puis elle la retourne et lui parle, hochant la tête plusieurs fois, elle la presse sur son coeur. Elle vient s'asseoir près de moi et gravement berce sa poupée comme si elle la consolait d'un gros chagrin.

Cette petite fille à mon côté regarde au loin, mais je sais, je sais qu'elle ne voit qu'en elle-même.

Les autres enfants ne lui font pas d'avances, ne semblent pas s'apercevoir de sa présence; elle est dans un monde clos où nul ne pénètre jamais. On lui a coupé les cheveux sans amour et acheté une robe sans goût. On n'a jamais embrassé ce visage étroit et pâle, ni enveloppé dans la bonne chaleur des bras ces pauvres petites épaules. Elle n'a pour tout soleil, pour tout trésor que cette poupée commune à laquelle elle transmet une sorte de vie. La petite fille soupire, un gros soupir, incline la tête et contemple sa poupée; puis elle s'en va, passe entre des enfants enjoués et bruyants, et s'éloigne dans le parc.

Je la suis des yeux. Une fois de plus, mon vieux coeur d'égoïste a failli éclater. J'ai failli lui dire: «Je suis seul aussi. Veux-tu être ma petite fille, à moi qui n'ai personne? Veux-tu que nous nous adoptions?» Et une fois de plus, je suis resté silencieux, impuissant et bête de peur.

Les jeunes hommes

Deux jeunes gens vont ensemble. Je les suis sans pouvoir entendre ce dont ils parlent avec tant d'animation. Ils s'immobilisent près d'un arrêt d'autobus. Je m'arrête aussi et me tiens près d'eux afin d'écouter ce qu'ils disent. J'arrange sur mon visage cette expression d'indifférence que je prends prudemment quand je ne veux pas gêner ceux que j'épie.

— ... ça se développe vite, une civilisation. Ici, il n'y avait que des bois, il y a trois cents ans... c'est fantastique! À mon retour d'Europe, l'an dernier, je n'ai pas reconnu certains quartiers de la ville. En quelques mois, des centres d'achats, des buildings, des stades avaient surgi de terre. Montréal est la métropole de l'avenir.

— L'avenir de qui?

— C'est la loi de l'évolution qui joue. Nous entrons dans un âge d'or. Le centre du monde se déplace très rapidement depuis deux siècles; il y a eu Paris, Londres et puis New York. Il sera ici bientôt.

Celui qui parle d'âge d'or a un petit béret, des protège-oreilles, un paletot qui laisse voir le col roulé d'un chandail. Quand je vous aurai dit qu'il porte une barbe en collier, vous aurez compris que c'est un artiste. Son camarade...

— Le centre du monde n'est-il peut-être pas aussi à Moscou? Ne crois-tu pas qu'il y a des pôles d'attraction plutôt qu'un centre? Et puis «bientôt», c'est un terme assez imprécis. Soit que l'on considère l'âge de l'homme, l'âge de notre nation ou notre âge à nous, cela représente trois laps de temps différents. Pour conclure, je t'avoue ne pas connaître cette législation qui régit l'évolution des villes.

... a un bonnet de laine aux couleurs de l'Université, un duffel coat et des lunettes d'écaille devant un regard scrutateur; glabre cependant, est-il artiste lui aussi? Alors il s'en défend.

— Tu n'as pas lu Toynbee?

— Non. C'est nécessaire? Où veux-tu en venir?

Comme j'ignore les noms de ces jeunes gens, je les désignerai par leur couvre-chef. Le Béret sait-il où il veut en venir? Il semble que non. Il hésite.

— Je veux dire que nous devons tendre à progresser afin que le centre du monde, du monde occidental s'il te faut les points sur les i, se situe à Montréal, sinon de notre vivant, du moins dès la prochaine génération.

— Centre du monde, rien que ça! Tu y tiens. Bon. Et ce grand mouvement d'ensemble vers un progrès — je me demande de quel progrès tu parles — qui va le régler?

— Quelqu'un sorti de nos rangs.

Il n'y a pas de doute, ce jeune homme est un artiste et un visionnaire. Ça ne l'empêche pas d'être bâti comme tout le monde.

— Écoute. Ça fait quinze minutes que l'on attend. J'ai froid. Je pense que j'attrape la grippe, mon vieux. On va prendre un café chez le Grec, et puis on reviendra, qu'est-ce que t'en dis ?

— Où ça, le Grec ?

— En traversant la rue, là, au coin.

Je les laisse me devancer. Ils ne m'ont pas vu, et je peux les suivre et m'installer chez le Grec à une table fixée au mur d'où je les vois très bien de biais. Je commande en anglais un chocolat chaud. Près de la caisse, on vend des journaux. J'en commande un de langue anglaise et je le déplie avec ostentation. Ils peuvent y aller maintenant. Je suis tout ouïe. Durant ces préparatifs, je n'ai pas manqué beaucoup de leur discussion. Ils ont mis tuque et béret à côté d'eux. La Tuque a de grandes oreilles bien collées à la tête et des cheveux roux. Le Béret a une chevelure noire, épaisse, comme à ressort, et qui doit être pleine d'électricité. Il a des oreilles moyennes, peut-être un peu plates et légèrement décollées. Ma nièce dit que si on veut porter une barbe, on doit se faire couper les cheveux.

— Tu y crois encore à ce leader fabuleux ? À ce superchorégraphe ? Au messie canadien-français ? Il est évidemment plus facile d'appuyer des prétentions sur l'arrivée hypothétique d'un sauveur de la race qui prendra tout à charge que de faire quelque chose de convenable avec ce qu'on a, et quelqu'un de bien avec ce qu'on est. Et puis quand le sauveur ne vient pas, on dit : «Est-ce notre faute si personne n'est encore venu nous sortir du pétrin ?»

Elle a raison, la Tuque.

— Les Irlandais ont eu Parnell.

— Plus le désir de liberté est fort dans un pays, plus il produit de grands hommes; est-ce cela que tu voulais dire?

— Quelque chose comme cela. Je ne sais pas.

— Je ne connais pas suffisamment le cas de l'Irlande ou des Flandres pour faire de justes comparaisons avec la Belle Province. Il est bien certain que ces petits peuples vaincus, occupés, se sont acharnés à vivre et qu'ils ont donné des génies, des saints, de grands écrivains.

— Mon vieux… restons-en plutôt au Canada français.

— D'accord. Je crois bien que j'irai faire un tour à Paris, l'été prochain, sais-tu? Je vais me ramasser de l'argent d'ici là.

— À Paris, tu te perds, tu t'éteins ou tu renais à autre chose dans un univers qui n'est pas le tien. Ça t'emballe, je comprends, parce que tu t'y sens libre; libre comme on peut l'être dans un milieu décadent.

— D'après toi, la liberté, c'est la décadence?

— Mon vieux, ne me fais pas dire ce que je ne dis pas. Les Français sont décadents, ils l'admettent eux-mêmes.

— Où ça? Quand ça?

— Leur politique… Non. Je ne m'enfargerai pas dans une analyse style revue *Time*. Mais en France, c'est un fait, le Canadien français le moindrement perméable perd ses caractéristiques.

— Dans ce cas, il n'a pas grand-chose à perdre.

— Moi, je tiens à rester ce que je suis : ni français, ni anglais, ni américain. Nous aurons beau les singer, nous ne serons jamais rien pour les Français.

— Un homme qui réussit est quelqu'un partout, mon vieux. Il y a des nôtres qui ont fait leur marque en France, mis à part nos soldats qui n'étaient pas des mercenaires; tiens, des chanteurs par exemple.

— Oui. Des expatriés. Quand ils reviennent renifler l'air du pays, c'est à peine s'ils nous regardent. Ils parlent pointu, ils ne sont plus canadiens. On ne compte pas sur eux pour aller de l'avant.

— Ta xénophobie s'exerce sur les Canadiens qui réussissent ailleurs maintenant? qui sont allés de l'autre bord parce qu'on ne leur offrait pas de débouchés ici? Le but de l'existence, c'est la réussite. En pensant à eux, je soulève ma tuque, et c'est de la table que je la soulève, dans un salut fraternel et symbolique. Et puis, en supposant que ni toi ni moi ne jouissions jamais de la haute considération des Français, que sommes-nous ici, hein? Explique-moi ça.

— Nous sommes chez nous.

— Même pas, mais non; nous sommes dans une immense réserve, protégés par des lois...

La Tuque vient de saisir une idée par la queue...

— ... des lois qui garantissent que notre assimilation et, plus tôt qu'on ne pense, notre disparition s'opéreront sans douleur. Nos concitoyens anglais s'inquiètent même du peu de cas que nous faisons de la mort, je parle de notre mort comme groupe ethnique; ils nous prient instamment de bien vouloir, au moins par des campagnes de refrancisation, continuer à donner l'illusion aux touristes américains que nous sommes différents. *Different,* avec l'accent anglais.

... et il n'est pas près de la lâcher.

— Nos hommes politiques n'ont pas tellement plus de pouvoir que n'en ont les chefs dans les réserves de Micmacs ou de Hurons. En tout cas, quand ils se servent des pouvoirs qu'ils ont, nous crions à la dictature. Comme nation, nous sommes foutus. Nous n'avons pas de patrie depuis 1760; il nous restait notre langue maternelle. Écoute, écoute bien, pour te rendre compte de ce que nous en avons fait. Je ne suis pas pessimiste gratuitement, pour prendre la contrepartie de tout ce qui se dit; je suis réaliste. Lors du dernier recensement à Montréal, une foule de Canadiens français se sont fait passer pour anglophones. Et dans le commerce, pour un Juif qui conserve le nom français du magasin qu'il vient d'acheter, il y a dix Canadiens français qui se donnent des raisons sociales anglaises. C'est de la fierté, ça? Tu veux nager contre le courant? À ton aise! Gaspille ton souffle. Les décadents, je le répète, c'est nous, depuis la Conquête. Il y a des raisons historiques à cela. Je ne crois pas que la marche d'un peuple en décadence soit réversible.

Mon chocolat est fini. J'en commande un autre. Je veux savoir à quoi rêvent les jeunes hommes. Le

Béret ne se recroqueville pas sous l'averse, au contraire.

— Ce n'est pas le moment de sonner la retraite, nous sommes au début de notre carrière; en face du danger, il faut se serrer les coudes, tâcher de servir au mieux les intérêts de notre peuple. C'est merveilleux! Il y a tout à faire! Il s'agit de savoir par où commencer.

— Oui, ici, il y a de l'argent à gagner. C'est par ça que je commence, j'ai choisi depuis longtemps. Tu m'as mal compris. Je n'irai pas à Paris pour chercher une situation. J'ai dit Paris comme j'aurais dit Mexico. Paris égale vacances. Ici travail, argent. Ailleurs, plaisirs, grosses frasques loin des contraintes, loin du couvre-feu, des bobos de famille et de l'étiquette «bon jeune homme garanti pur». Tu n'es pas tanné d'être un bon jeune homme? Hein, jeune homme?

— Des fois, ça m'arrive.

— Le Canadien français voyage pour respirer. Ici sérieux, gros sérieux. On ne vit ici que sérieusement ou bien on roule à côté du chemin de fer. Je suis un train en marche; que les vaches me regardent passer en meuglant si cela les amuse! Je suis un train en marche, pouf! pouf! L'avenir de la race? Pouf!

— Tu blagues de tout.

— C'est pour ne pas pleurer, mon fils.

— L'affaire de l'élite, c'est de donner l'exemple, de diriger.

— Encore le messianisme. On nous l'a inculqué au collège. Nous étions appelés à encadrer un peuple miraculeusement conservé dans le catholicisme et dans la tradition française du 17e siècle afin de servir de porte-flambeau à l'univers. Or, en sortant du collège, j'ai appris que c'est l'argent de nos concitoyens anglais qui mène notre élite et qui la mène au pas, au pré, dans de verts prés où elle broute et rumine en attendant de retontir dans la vallée de Josaphat. Mets-ça dans ta pipe, comme disent les Anglais, et fume-le.

— Tu dates, vieux. Dans le domaine de l'éducation, il se fait de grands changements.

— Un petit remue-ménage de surface, vieux, de surface. Le fond reste le même.

— Et puis, je remarque qu'il n'y a que des ruminants dans ton sac à métaphores. Dans le mien, il y a des coursiers, des étalons.

Mais eux, ces jeunes gens, sont comme de jeunes cerfs, tout fiers de leurs bois nouveaux; on voit bien qu'ils discutent par plaisir sur tout ce qui leur traverse l'esprit. En ce moment, le Béret remonte son arbre généalogique et la Tuque tâche de l'en faire descendre, il réplique à je ne sais quelle déclaration:

— Quand je songe à nos grands-mères, j'ai moins envie d'ironiser. Ils auraient mieux fait de voir à la qualité plutôt qu'à la quantité, ces bons grands-pères. Ce que la mortalité infantile leur a laissé de progéniture est allé grossir le nombre des porteurs d'eau.

— Pourquoi porteurs d'eau?

— Comment veux-tu qu'une femme élève toute seule dix-huit enfants? Ce mot «élever» veut dire autre chose que «laisser croître». Quand on s'avisera de cette vérité première, quand on ne mettra plus son point d'honneur à épouser une femme plus ignorante que soi, on aura déjà fait un pas.

— Un pas vers quoi?

— Vers ce que tu espères, vieux. Tu me prends en flagrant délit. J'ai beau dire, il me reste encore quelques illusions. La raison n'en veut plus, mais le coeur y tient. Ça me colle là, comme du papier à mouches. Il faut n'avoir ni conscience ni respect de soi-même pour accepter de disparaître sans prendre la dernière chance offerte.

Il se débat dans ses illusions avec une belle vigueur. Pauvre Tuque. Le Béret jubile.

— En somme, en dépit de ton air sinistre…

— Cynique, vieux, cynique seulement.

— Tu prends conscience. C'est ça qui compte.

— Ben oui, si tu veux.

— Alors, prendre conscience, cela veut dire se regarder en face et examiner ses moyens d'action pour préparer une sorte de révolution spirituelle.

— Une révolution spirituelle? Qu'est-ce que c'est que ça? Tu délires, mon Richard. Moi, je comprends qu'on soit révolutionnaire à seize ans; c'est une épreuve à traverser comme l'acné et comme les doutes sur la foi. À mon âge, je n'ai plus le goût des tribulations. Je ne me vois ni en prophète ni en martyr. Es-tu sérieux? Pour vrai? Alors, sérieusement, raie-moi des rangs de ton élite. Je ne suis plus penseur ni discoureur des places publiques. Les palabres de la Saint-Jean-Baptiste, les campagnes de souscription pour le maintien de nos droits, de notre langue et de notre culture, c'est pour les «poissons», les crédules, en d'autres termes, les poires. Ce qui pèse dans le monde, ce ne sont pas les sacrifices aux mânes des ancêtres, mais le portefeuille quand il est rempli. Remarque bien, quand je dis que je ne suis plus penseur, j'ai envie de rire: l'ai-je jamais été? Nous a-t-on appris à penser par nous-mêmes? Certes non. C'est un des bienfaits de l'enseignement à sens unique que de supprimer cet effort superflu. Les spéculations de Schopenhauer exposées en cinq lignes, avec deux pages sur ce qu'il faut en penser; l'enseignement de Bergson en une page, avec dix pages d'interprétation et de mise en garde. Que savez-vous de Montaigne? Réponse: il était sceptique. Kierkegaard, Husserl, de parfaits inconnus. Je te dis ça comme ça vient. C'était ça notre philosophie. Il n'y aura pas de vraie réforme tant que l'enseignement supérieur ne sera pas entièrement entre les mains des laïcs. Et puis quoi? On nous a parlé de Karl Marx sans avoir montré autre chose que des ouvrages qui prétendaient le réfuter. «Ne lisez pas *Le Capital*, mes amis, c'est long et ennuyeux, et d'ailleurs, dans ce livre de M. Y., tout l'essentiel y est très bien étudié.» On a fait de la paresse intellectuelle la deuxième plus grande vertu, la troisième étant la chasteté, et la première, tu sais comme moi que c'est la soumission totale de la conscience à une conscience suprême qui n'est pas celle de Dieu. Ce n'est pas pour rien que Dieu a laissé tenter l'homme. Mais ceci est une autre affaire. La finance me plaît, tu vois, parce que je n'y ai pas encore rencontré de tabous. Bref… qu'est-ce qu'on disait? Si tu tiens à faire partie d'une véritable élite intellectuelle, retourne à Paris. C'est un bon conseil que je te donne là. Retournes-y pour toujours; pas comme moi pour passer deux mois agréables, pour voir quelques musées et beaucoup de jambes en l'air. Va faire ta vie là-bas, si tu veux écrire. Ici, ça ne sert à rien.

— Tu parles pour parler.

— Non, mon vieux, non! Il n'y a pas de marché pour ta production ici. Voyons, tu le sais aussi bien que moi. Ah! si nous étions les maîtres de notre industrie, de notre économie, ce serait différent! Il n'y a pas grand-chance pour que nous les devenions jamais. Tu parles des lois de l'évolution, moi, je connais la loi de l'offre et de la demande. Si on ne te demande jamais ce que tu offres, tu cesses de produire, n'est-ce pas? Ton matériel se détériore. Pourquoi se faire accroire autre chose?

J'espère que la Tuque et le Béret ne se doutent pas de l'intérêt qu'ils ont pour moi. Ils trépignent tout en restant assis. Le Béret n'a pas l'air convaincu du tout.

— Faut gagner de l'argent?

— Ça te fait rigoler? Pour moi, tout se résume

à ça. Je n'ai pas la tête dans les nuages, moi. On discute à tort et à travers d'une prise ou d'une crise de conscience de nos intellectuels; il y a des crises de conscience nationales, religieuses, artistiques, enfin de toutes les saveurs. Je te dis que ces mots-là en cachent des incapacités, des échecs et des utopies! Bon. Consulte là-dessus nos quelques hommes prospères; demande-leur d'imiter selon leurs moyens les Carnegie, les Ford, les Rockefeller, par des bourses d'études, par des donations aux universités: tu te feras bien recevoir! Tant qu'eux-mêmes n'auront pas pris conscience de ce qui nous menace comme peuple, il n'y aura rien de fait. Mais ils s'en fichent; pour eux, c'est le yacht, la Floride, le scotch et les grosses bagnoles. J'ai lu quelque part que l'art, c'est le luxe des riches. Ce n'est pas le luxe des nôtres, en tout cas. Dis-leur que si ça continue, leurs arrière-petits-enfants auront honte de parler français dans les rues de Montréal; ils te répondront en substance: «*Who cares?* Faites votre tas de sous comme nous avons fait le nôtre et au diable le reste.» Ceci en supposant que tu les approches. Tu es plutôt voyant avec tes idéaux et ton enthousiasme agressif. Ces gens-là te verront venir de loin et, quand il s'agit de leur argent, ils ont un instinct de conservation extraordinaire. Pousser un vieux dix à un barman complaisant, ça va; donner quelques piastres pour instruire un des leurs, pour acheter une peinture ou même rien qu'un livre de facture canadienne, ça ne va pas. Comme disait l'un d'eux: «Il y a trois sortes de gens:

les trompeurs, les trompés et les trompettes. » Il te classerait immédiatement parmi les trompettes.

— Va pour la trompette! Tu viens de leur faire un beau procès à nos capitalistes! D'accord, ils ne sont pas patriotes puisque être patriote, c'est aider à la conservation et au développement de la culture nationale, et qu'ils ne le font pas; ou, s'ils le font, c'est à une si petite échelle que ce n'est pas la peine d'en parler. Mais, d'après toi, pourquoi ne sont-ils pas patriotes?

— Je n'y ai pas réfléchi, sais-tu? Peut-être parce qu'ils n'ont pas de traditions; ce sont de nouveaux riches, ils ne savent pas dépenser l'argent. Peut-être ont-ils si peu d'éducation et si peu de confiance en leur goût qu'ils ne misent que sur des valeurs sûres. J'imagine que les objets d'art dont quelques-uns s'entourent doivent pouvoir se monnayer facilement.

La Tuque s'arrête. Je sens que le sujet les passionne, qu'ils vont le creuser encore un peu.

Le Béret se frotte les oreilles. Il dit:

— De toute manière, pourquoi sembles-tu vouloir que l'instruction dépende des financiers? C'est un problème qui concerne le gouvernement. On paie des taxes pour cela.

— Une petite partie des taxes sert à cela, en effet, à notre corps défendant, mon Richard, à notre corps défendant. Les riches et les pauvres s'entendent à merveille pour trouver qu'un instituteur, par exemple, est toujours assez bien payé. Et c'est notre peuple canadien-français, civilisateur des trois Amériques, qui le veut ainsi.

— C'est vrai, mais on finira bien par lui faire désirer autre chose.

— Jamais. J'ai la ferme conviction que seul un enseignement supérieur laïc et non confessionnel nous élèverait au niveau intellectuel des autres petites nations; tu le sais. Ce serait notre seule et dernière planche de salut. Mais nous ne verrons jamais ça!

— Sacré défaitiste! Moi, j'entends le tocsin, je dis qu'on doit retrousser ses manches. Toi, tu entends le glas. Pourtant, nous sommes ici tous les deux, parlant français tant bien que mal, le mieux possible. Et tout le temps, c'est comme si Montréal me disait: «Il n'est pas trop tard, tu peux faire encore quelque chose pour me garder; vas-y, mon gars!» La ville... Aimes-tu la rue Saint-Denis? C'est la rue la plus française: y a la Montée du Zouave, le clocher de l'église Saint-Jacques... sais-tu que c'est la flèche la plus gracieuse de toute la ville? Y a la côte, y a Sylvain Nourri qui vend des lunettes, la parfumerie Bellefontaine, la confiserie Oscar; on dirait un décor d'opérette. D'opérette française. Tu ris de moi, parole d'honneur! Je n'ai pas dit que je n'aimais pas les Français; je suis un sentimental et je ne le cache pas. Mais Bon Dieu! Est-ce qu'ils s'occupent de nous? Est-ce qu'ils ne nous laissent pas moisir dans notre cercle vicieux, nous, les Anachroniques, les Rescapés drolatiques? Ils nous ont vendus, ils s'en lavent les mains; quitte à brailler de reconnaissance quand nous allons nous faire crever sur leur sol. Je ne dis pas pour eux, je dis sur leur sol. Le retour à la Mère Patrie surmontée d'une croix. J'ai envie, des fois, de leur crier : «Envoyez-nous du monde, venez nous fonder des écoles, des bibliothèques, envoyez-nous du monde tant que vous pourrez; et puis laissez les Arabes parler arabe chez eux.» C'est peut-être idiot, tu vois; je sens comme ça. Quand est-ce qu'ils pensent à nous, les Français? Aux anniversaires du Débarquement, à l'occasion d'un beau discours sur la tombe d'un Canadien inconnu. Ça ne fait rien, mon vieux. Nous, fils des laissés pour compte, restons français quand même. Parlons français. Ce n'est pas pratique? Faut que les Canayens soient bilingues? Faut acquérir une double culture, ça, c'est la théorie des traîtres. Il y en aurait une qui prendrait le dessus; est-ce que ce serait la bonne, je veux dire, la nôtre? Certainement non. On me dirait : «Veux-tu un troisième bras? Ça améliorera ton rendement.» Je répondrais : «Non, merci. Je me trouve beau comme je suis.» Tel quel, même Canayen, je suis un homme. Tu disais juste : avec ce qu'on est, il faut devenir quelqu'un et faire soi-même quelque chose. Il faut que tous ceux de notre génération se transforment en sauveurs de la race. Es-tu de mon avis, oui ou non?

La Tuque ne répond pas. Que répondrais-je à sa place? Je répondrais que je suis trop vieux, trop malade; que si on se laissait songer à tout ce qui tourmente, on ne vivrait pas tranquille; que ces idées n'ont plus de résonance en moi. Mais que dis-je! Si j'étais à sa place, je ne serais pas encore vieux, ni malade, ni prudent, ni craintif. Ah! Plût au Ciel…

— Il faut gagner de l'argent…

Est-ce cela que je répondrais?

— … de l'argent! Rien que ça, d'abord. Je fléchis, je te suis sur la pente jusqu'à dire: «On verra ensuite.» Ou bien il faut s'exiler si l'on poursuit des rêves de dépassement. Une minute, tu ne peux pas sentir les Français qui viennent ici; tu gueules contre les expatriés, l'instant d'après, tu demandes à la France de nous coloniser. Une vraie girouette. Et puis, tu es bien comique avec ton troisième bras. Poète, va! Ce n'est pas moi qui refuserais un troisième bras, bon sang! Un de plus pour brasser des affaires.

— Je suis comique, oui; poète, oui. J'ai la poésie à fleur de peau; je la porte comme une rose aux lèvres; je la goûte comme du pain quand j'ai faim. Et puis, quoi encore? Je suis catholique de gauche — ça, ça fait sauter les moines — républicain, révolutionnaire et prêt à tout. Je suis illogique et divaguant; je m'en fous. La vie est belle et, si elle ne l'est pas, nous la ferons telle.

Les vociférations joyeuses de ce Béret vont-elles rassembler les clients? Pas du tout. «C'est un étudiant», dit quelqu'un et il passe.

— D'accord. Tu parles en littérateur, mon vieux, et après? Qu'est-ce que tu écris?

— J'écris. J'écris des choses… des choses fantastiques! Inouïes! D'abord, j'écris surtout dans ma tête. Tu verras ça dès que je saurai exactement ce que je veux exprimer et comment l'exprimer. Je t'ai déjà lu…

— Oui, tu m'as déjà lu. Moi, je n'ai rien lu. Où vas-tu publier tout ça?

— Où? Un jour…

— Moi, je veux faire de l'argent. J'étudie la finance; je travaille pour un courtier, dans mes heures libres. C'est du positif, ça. Le tangible, le réel, reviens-y, quoi! Toi, tu veux écrire et au lieu d'écrire, tu discours. Où est-ce que ça te mène?

— Ça m'éclaircit les idées; c'est le temps ou jamais. Et puis ça me fait connaître les tiennes. Il y en a beaucoup qui pensent comme toi; il y en a quelques-uns qui pensent comme moi.

— Il est bien difficile de devenir millionnaire à vingt ans, par soi-même, à moins de buter sur un tas d'uranium ou autre chose. Mais, à vingt ans, on peut déjà être un écrivain. Tu n'as rien fait encore.

— Le succès, si tu en fais une question d'âge…

— Pas le succès: le travail, l'oeuvre.

— La question c'est: écrire. Quoi? Le choix est vaste et en même temps restreint. Il faut sauter des barrières plus hautes que tu ne penses. Il y a peu de vrais écrivains chez nous; ce n'est pas surprenant. La libre expression littéraire pose un problème, comment dirais-je? un problème qui se résout difficilement. Écoute bien. On ne peut pas écrire sur soi-même, à cause de la famille, de la société; il suffit qu'un individu se démasque pour les ébranler sur leurs bases. Il vaut mieux ne pas dénoncer la servitude du prolétariat; les politiciens se sentiraient visés. On ne peut pas raconter pourquoi on a perdu la foi ou comment on a connu l'amour, à cause du clergé. Il reste les six autres péchés capitaux, l'histoire du Canada arrangée pour notre confort, le terroir et la poésie obscure. À part ça, quand on écrit trop bien, il n'y a pas d'éditeurs; pas de lecteurs, si on s'édite soi-même.

— Tu vas me dire maintenant, je suppose, que toutes ces restrictions jugulent nos génies littéraires? C'est peut-être vrai. je n'en sais rien, mais je sais qu'en France il y a des éditeurs qui attendent nos génies littéraires avec un contrat et un sac d'or. Ceux qui, comme toi, pensent n'avoir pas ici une liberté suffisante peuvent aller ailleurs. Mais j'imagine que les éditeurs français sont des hommes d'affaires; ils n'ont pas tort d'exiger certaines qualités aux produits qu'on leur propose.

— Encore la France! Sacré Bernard! La piastre ici pour toi et la France pour les gens comme moi.

— Encore la France et toujours la France. Deux ou trois Canadiens français donnent la preuve qu'un bon auteur est bien reçu là-bas. Enfin bref, c'est une issue pour nos génies littéraires, la France. Et où sont-ils nos génies? Nulle part. Mon vieux, nous n'en avons pas, de génies. Du talent, il y en a ici comme ailleurs, pas plus. Je suis tanné, tanné d'entendre les soi-disants initiés s'exclamer: «Nous avons tellement de talent, nous, les Canadiens français » pour ensuite ajouter que, s'il n'en sort pas grand-chose, c'est à cause de l'emprise du clergé dans tous les domaines. Je n'admets pas ça. Ça ne suffit pas à m'expliquer un phénomène d'impuissance collective.

Je n'écoute plus que d'une oreille; une torpeur bénéfique m'enveloppe comme une cangue et me voici multiplié à mille exemplaires, promeneur attentif dans un corridor de collège, dans un escalier de bois qui mène à travers la montagne, dans un bar, devant un libraire, au guichet d'un théâtre, au pied d'une colline neigeuse où zigzaguent des skieurs, partout où des jeunes gens comme ceux-ci échangent leurs points de vue. Et partout les propos sont les mêmes, qu'il s'agisse de peinture, de théâtre, d'écriture ou de chambardement politique ou économique; on jauge les obstacles, on soupèse l'enjeu, on étudie les ressources; on cherche le joint, le biais, la brèche par où s'évader, s'affranchir. Si la mèche n'est pas éventée, il se pourrait bien que ce qui paraît le plus immuable saute un beau jour, avant longtemps. Et ceci me ramène à mon poste d'écoute. Combien de répliques ai-je manquées tandis que je me multilocalisais mentalement? C'est comme au théâtre, vraiment, pour ne pas perdre le fil... le Béret termine une tirade.

— ...mon vieux; si tu n'es pas sensible à l'ambiance! C'est comme une chape de plomb sur la volonté de penser.

— Tu t'en rends compte, beaucoup d'autres s'en

rendent compte, et qu'est-ce qui se passe? Rien. On jase, on se plaint; il ne se passe jamais rien d'important. Je te le dis: nos écrivains ont un cœur de lièvre. C'est comme s'ils n'avaient pas laissé les bancs du collège. C'est bien évident qu'ils ont peur de recevoir des coups de règle sur les doigts. Ils ne sont pas ce qu'ils devraient être: des francs-tireurs. Ils ne sont pas présents, mon vieux. Ils ne vivent pas avec nous. Leurs livres sont des poids morts, des natures mortes. Rien de ce qui nous fait battre le cœur, rien de ce qui nous fait envie n'y est montré. Si, pour nos écrivains, écrire un livre était une aventure, non seulement une aventure mais une action, enfin un acte d'engagement où ils se mettraient en cause avec toute leur franchise, toute leur vitalité, leurs espoirs, leurs découvertes, l'ambiance changerait vite. Bon sang! Ils vivent dans un pays où il n'y a encore ni Inquisition ni police secrète. Crois-tu qu'ils en profitent pour laisser leur imagination, leur sensibilité, leur intelligence prendre le large? Jamais de la vie! Ces gens-là se gardent bien d'écrire ce qu'ils pensent, en admettant qu'ils pensent à autre chose qu'à voir leur nom imprimé. Je me demande pourquoi ils écrivent; c'est à parier que leur motif n'est pas très pur. Ils ont épuisé les sujets neutres, ils sont taris. Ils souffrent de strabisme divergent à force d'avoir un œil sur la vente de leur bouquin et l'autre œil sur ce que la critique pourra dire d'eux. Ce sont des lâches, des pauvres, pauvres types. Ils se laissent écarteler par un public bonasse qui veut être flatté et par les trois autres censeurs : la famille, le clergé, la politique. Ils se tissent leur propre prison. Il ne s'agit pas de faire une colère d'enfant et d'envoyer au démon tout ce qu'il y a de bon ici. Il s'agit d'oser être soi-même, d'être comme Aliocha Karamazov au coeur même de son temps. Est-ce que j'ai raison de croire que partout, dans tous les pays civilisés, à toutes les époques, celui qui a voulu s'attaquer aux institutions, à la morale en cours, aux gens bien en place, à la classe dirigeante, celui-là a pris ses risques ? Celui qui a simplement montré la société telle qu'elle est, avec ses passe-droits et ses crimes collectifs, et l'homme tel qu'il est, celui-là aussi a pris ses risques. L'écrivain qui a choisi selon sa conscience, il a pris ses risques ; et l'écrivain qui a dit ce qu'il a cru être la vérité sans vouloir prouver quoi que ce soit, sans prendre parti, mais qui a dit cette vérité d'une façon neuve, de manière à frapper les esprits, à déranger des certitudes béates et des habitudes, cet écrivain-là, il a payé bien cher sa gloire, parfois.

On marche toujours sur les pieds de quelqu'un quand on écrit pour dire quelque chose. Et puis enfin, mon vieux, pour le véritable écrivain, toute vérité est bonne à dire. Que sa manière ou ses conclusions plaisent ou déplaisent, on doit lui reconnaître le droit de dire tout ce qu'il sait. Il a le droit de se tromper, d'autres ont le droit de lui répondre ; ce n'est que dans cette totale liberté qu'une oeuvre valable peut s'écrire.

Ce n'est pas d'aujourd'hui qu'on a fait un délit de l'opinion contraire au pouvoir. Socrate, Dostoïevski, Victor Hugo, Zola, Brasillach ont eu des meutes à leurs trousses. J'imagine qu'ils savaient ce qu'ils risquaient. La peur ne les a pas bâillonnés. La vraie liberté est à l'intérieur de l'homme. Il n'a qu'à s'en servir. Ici, nous consentons tous à nous taire. La liberté d'expression a un prix trop élevé, vraiment.

— Il n'a qu'à s'en servir? Eh! vieux, c'est ce que je compte faire. Ce n'est pas si facile. Je me prépare à sauter, mais j'y pense à deux fois avant de dire adieu à l'existence simple d'un fils de famille, avant de couper les liens qui m'attachent à ma classe; adieu à la paix, à la bonne renommée, à la confiance de mes aînés. Non, ce n'est pas si facile. Ceux de nos écrivains qu'un tempérament vigoureux portait à crier leur vérité ont tous, tous baissé le caquet devant la campagne de mépris, de dénigrement ou de silence qui s'est faite contre eux; ils se sont trouvé de bonnes sinécures.

— C'est ce que je te dis; nous craignons trop d'être déconsidérés. Nous avons sans doute trop de raisons de nous sentir inférieurs. Est-ce que je te blâme d'avoir peur? Tu tiens beaucoup trop à être aimé pour faire ici ton métier proprement. Penses-tu que je te demanderais de faire ce que je ne ferais pas moi-même : de rester pour combattre? Jamais de la vie! Sauve-toi, mon vieux! Va à Paris. Si tu as quelque chose dans le ventre, tu le sauras avant longtemps. Seulement, n'y va pas avec l'espoir d'être compris, comme à ton dernier voyage; tu es revenu la larme à l'oeil, disant : «Les Français ne nous comprennent pas. » C'est à nous de comprendre, de nous élever à leur niveau, malgré notre handicap, la gaucherie avec laquelle nous manions la langue et les idées. Pour arriver à égaler un très bon écrivain français, il te faudra travailler trois fois plus que lui; tiens-le-toi pour dit. Ne va jamais, jamais mendier l'indulgence des Français en faisant valoir tout ce qui est négatif : notre pauvreté spirituelle, notre civilisation prétendue jeune, le mérite que nous avons de conserver encore notre langue, et caetera. Ça ne te donnera jamais rien qu'un prix de consolation.

Je m'aperçois que la Tuque débite très vite son discours et qu'il ouvre et referme la bouche deux ou trois fois avant de commencer une phrase. C'est un tic qui lui donne un peu l'air d'un poisson rouge cherchant à avaler une miette. Son ami, le poète à béret, se balance sans arrêt et me fait songer à un gros moineau, sauf quand il parle, car il articule lentement, à l'encontre de l'autre.

— Pour qui me prends-tu? Je veux écrire des romans. Pas besoin de vocabulaire savant ni de dialectique pour ça.

— Ici, tu es battu d'avance.

— C'est entendu; pour toi, on est lâche de père en fils. Sacré Bernard! Je vais te prouver le contraire. Si je t'ai exposé mes problèmes, c'est parce que j'entends les résoudre et que tu peux m'aider en étant solidaire.

— Je suis solidaire, mon vieux; mais je ne peux pas m'empêcher d'être pratique. En demeurant au pays, que feras-tu? Comme il faut manger, tu seras fonctionnaire. Pour un garçon de vingt ans, être fonctionnaire c'est la mort lente, la paralysie stupéfiante qui s'installe. Tiens, ça m'écoeure rien que d'imaginer ça. Sauve-toi! Va retrouver les gens qui te ressemblent. Si tu restes, tu deviendras... je te vois déjà... tu feras des conférences devant des dames pleines de loisirs qui s'imaginent être le pivot de notre culture et qui ne lisent rien. Tu écriras quelques papiers par-ci par-là pour te tenir en évidence; tu bâcleras quatre ou cinq bouquins pour avoir le titre si reluisant d'auteur; tu participeras aux programmes de télévision destinés à propager les lieux communs et à entretenir l'absence de pensée personnelle. Tu t'adonneras certainement à la critique littéraire. Ce n'est pas trop malin à faire dans notre pays. On analyse ce qu'un autre s'est sorti du cerveau, un étranger de préférence; d'ailleurs, on a peu de choix. On parle de constantes, de fine pointe, de situation-limite, de tellurisme, de trauma, et caetera; tous les clichés du charabia psycho-philosophique sont repris et amalgamés au moindre articulet. On répugne à écrire pour être compris, n'est pris au sérieux que ce qui s'exprime obscurément; en cela les critiques d'art sont des as. Ils me font penser sans exception aux docteurs de Molière. Dans le domaine de la littérature, quand un livre excellent est le fait d'un autodidacte, lequel par-dessus le marché n'est pas très répandu dans le monde, on loue parcimonieusement. Quand, au contraire, l'auteur d'un navet est ancien élève des Jésuites et qu'il est connu des milieux bourgeois, pédale douce; ça s'appelle ménager la susceptibilité des bien-pensants. Bon Dieu! Tiens, moi, je veux faire de l'argent; c'est propre, c'est une ambition d'homme.

Je m'efforce de ne pas sourire d'aise tellement ces paroles de la Tuque sonnent juste à mon oreille. Le Béret s'esclaffe.

— Dis donc, tu es monté jusqu'au dernier cran, aujourd'hui? Si c'est moi, ça, dans cinq ou dix ans, plutôt la corde au cou.

— Tu l'as dit. Quand l'écrivain, l'artiste canadien hésite entre être ce que je viens de décrire ou ne pas être, il choisit parfois la corde, en effet; ou bien l'accident, ou bien l'asile; ou bien la syncope dans un coin perdu. Le fameux stress, tu sais. Il a été inventé à Montréal, le stress; je me demande ce qu'on attend pour écrire un essai bien scientifique sur le stress de l'artiste enchaîné; il y a ici tous les éléments, tous les exemples qu'il faut. D'autre part, l'écrivain se décide quelquefois à n'écrire que des feuilletons populaciers, ce qui est une forme subtile du suicide. Dans ce cas-là, il se leurre; il se dit qu'une fois riche et enfin libéré des contingences il pourra délier son vrai talent, son tempérament. Mais quand vient le temps de le sortir de l'armoire aux provisions, son tempérament, il est pourri. Ce qui ne sert pas se détruit. Au Musée de l'Art moderne, à New

York, il y a un tableau très curieux à quoi me fait penser ce que je dis là. Je ne sais plus de qui il est; il s'intitule, si je me souviens bien, *Les choses que je n'ai pas faites et que j'aurais dû faire avant.* On voit une porte fermée, une clé qui tombe de la serrure, des fleurs fanées, des gants froissés, toiles d'araignée, poussière, je ne sais plus quoi encore, dans différents tons de gris, il me semble; c'est glaçant, je t'assure. Ce n'est pas agréable non plus à voir, un talent qui se décompose. Où que tu regardes ici, tu ne vois que ça, ou encore des plantes qui germent et meurent sans avoir fleuri. J'admets, j'admets comme toi que l'atmosphère de la province asphyxie plutôt qu'elle n'exalte les élans créateurs. Et ce n'est peut-être pas tellement leur faute, à nos intellectuels, s'ils sont peureux et veules. Un chat castré est moins brave qu'un matou, dit-on. C'est pourquoi je t'enjoins d'aller à Paris, à Paris ou ailleurs : à Montevideo, à Hong-Kong, dans le Vermont aux U.S.A.

— Manquerait plus que ça! Non, je reste, malgré l'effroi que me cause le joli portrait de «l'artiste jeune homme» que tu viens de me faire.

— Baste! Je disais «tu» par commodité. Toi, tu es assez fou pour préférer la misère noble à l'auge. Vois-tu, je songeais à ces types qui croient que posséder sa syntaxe, c'est être capable d'écrire. La correction prise pour le talent. Ils décident un beau matin qu'ils ont du génie ou bien qu'ils en méritent. Ce qu'ils veulent, ce n'est pas travailler à quelque chose de beau et de difficile — la beauté, y pensent-ils seulement? Elle est absente de leurs ouvrages — ce n'est pas non plus changer la face du monde, ni faire reconnaître par certains hommes que d'autres hommes ont des droits; ça, c'est bon pour les éditorialistes. Il n'entrerait pas dans leur tête de repenser le christianisme, de tout remettre en question: l'amour, la vie, la mort, la guerre, l'esclavage; de penser comme Simone Weil que la notion d'obligation prime celle de droit. Ils n'écrivent même pas parce que ça leur plaît. Alors, pourquoi? Parce que gratter du papier en abondance, c'est pour eux un moyen facile de se faire valoir, d'être connus, admirés. Il y a des écrivailleurs dans tous les pays du monde où il y a aussi des écrivains. Ici, nous n'avons pas assez d'écrivains pour maintenir l'équilibre. J'exagère? Laisse-moi dire. La vérité sort de l'exagération.

— Exagère à fond, mon vieux, mais ne désespère pas. Nous allons changer tout ça, patience.

— Quand? Moi, je m'en sacre; ce n'est plus mon affaire. Lorsque je me serai mis un signe de piastre à la place du coeur, je ne souffrirai plus de rien. Ce que je dis, c'est pour t'ouvrir les yeux.

— Je vois clair, vieux, mais je te le répète, je resterai ici jusqu'à ce que mort s'ensuive, et j'écrirai. J'écrirai quand tous les autres abandonneraient la lutte. C'est vrai, je n'ai pas de patrie. Je serais bien en peine de te dire ce que j'entends par sens national, mais j'ai une langue maternelle et j'y tiens;

c'est elle qui est ma patrie, si tu veux. J'y tiens, j'y ai droit, j'en ai besoin pour être moi-même, pour être quelqu'un, pour vivre, comme de l'air que je respire; et j'entends la parler et l'écrire là où je suis né, tu comprends. Je sais que la littérature, c'est le sang et les poumons et le coeur et les nerfs et tout ce qu'on voudra de la langue maternelle; et que là où il n'y a qu'une tradition orale, la langue maternelle disparaît sitôt qu'elle est menacée, ainsi qu'on en a la preuve en Louisiane et dans ce qu'on nomme la Franco-Américanie. Je sais aussi qu'une littérature qui n'exprime pas tout ce qu'est l'homme, ça n'est pas une vraie littérature, et que la chose écrite utilisée uniquement comme moyen de propagande ou comme amusement, ça ne fait pas une littérature. Nous en sommes là; nous n'avons pas, nous n'osons pas encore dépasser ce stade, diriger ou divertir. Il est temps d'ouvrir les fenêtres. Zola a écrit : «Si vous me demandez ce que je viens faire, moi, artiste, je vous répondrai : je viens vivre tout haut.» Moi aussi, j'ai besoin de vivre tout haut. J'en ai fini avec la peur; ou tout au moins, si j'ai peur d'être tout seul avec ma croisade, je me vaincrai, je marcherai quand même.

Je ne serai jamais un écrivain à tiroirs comme il y en a tellement dans la province. S'il faut en croire nos intellectuels affranchis, il existerait des caisses bondées de manuscrits qui ne verront jamais le typographe. Pourquoi? Les principaux ennemis de ces chefs-d'oeuvre inconnus sont ces messieurs du clergé. Soit. N'importe, qu'on nous les montre, ces livres étonnants, qu'on se les passe de main à main. Non, non, il y a des retouches à y faire, ou bien, ils ne sont pas copiés au propre, ou bien... Ces auteurs sans oeuvre sont des bluffeurs, tartufes par surcroît. J'aime encore mieux le clergé, tiens! C'est énorme de ma part, ça, moi le croyant anticlérical. Les clercs mettent leur nez partout, mais au moins, on sait à quoi ils jouent. Il n'y a pas de sournoiseries ni de vains prétextes chez eux. Qu'un plus zélé que moi exige du clergé qu'il produise enfin au moins *un* philosophe, au moins *un* écrivain religieux d'envergure, *un* seul penseur catholique; moi, je sais bien qu'un peuple qui n'a pas encore redressé l'échine ne peut pas donner de clercs audacieux et que, sans audace, il n'y a pas de sainteté. Bon. Mais l'écrivain laïc, il doit être d'abord un homme debout, et il doit témoigner pour son temps, mais plus que ça: il y a une sorte d'obligation pour lui à être prophète, c'est-à-dire à parler pour les autres et en faveur de tout ce qui lui paraît indispensable à la vie. Et cela nonobstant les censeurs. Être prophète, ce n'est pas prédire l'avenir, c'est surtout porter un message. Pas un oracle, mais un messager; voilà le rôle de l'écrivain. Le message est là que lui transmettent les événements, l'Histoire si tu veux. Il n'a plus qu'à ouvrir la bouche et à se faire entendre.

Ils se taisent, le Béret regarde droit devant lui. J'ai tout de même l'impression que ses épaules s'arrondissent comme s'il sentait quelque chose s'appesantir sur lui. Son camarade, au bout d'un moment, lui donne une grande tape amicale.

— Ah! mon vieux, il faut plus de candeur pour être un bon Don Quichotte.

— Tu dis cela parce que je n'ai pas les mêmes réactions que toi devant les mêmes faits.

— Pense un peu au boulevard Dorchester. Les gratte-ciel y poussent à vue d'oeil. À qui sont-ils? Pour qui sont-ils? Pour les types comme moi. Montréal, c'est une ville pour moi. Je me suis parfaitement fait à cette idée que si les gratte-ciel m'empêchent de voir la lune, je me contenterai du néon. Tandis que toi, pauvre poète, sans la lune que deviendras-tu?

— Je la regarderai dans les vitres des gratte-ciel. Mais, dis-moi, réponds-moi avec toute ta lucidité: me crois-tu homme de talent?

— Je te crois fou.

— Moi aussi, je me crois fou.

— Quand tu mettras ton premier livre à côté de mon premier mille piastres, nous parlerons de nos talents. Il est temps de partir, vieux.

— D'accord.

Ils sortent. Moi de même au bout d'un moment. Nos chemins se séparent, je retourne une fois de plus sur mes pas. Leurs mots encombrent mes pensées: liberté, liberté, liberté… c'est vrai, ils ont raison tous les deux de la chercher selon l'inclination de leur nature; l'argent lui ouvre la porte, la vérité la donne à autrui. Que disaient-ils donc? Il est exact que la chose écrite ne pénètre ici nulle part parce qu'elle ne vient pas du cœur de l'homme. Elle prend l'aspect d'un petit panache auquel personne ne se rallie — quel romancier canadien a des disciples, une influence sur le comportement du peuple ou de l'élite? — et qu'on arbore aux jours de fête. Entre le peuple et l'écrivain, il n'y a pas d'antagonisme, pas de dialogue non plus, pas de liens; et le peuple s'en va à la débâcle, sans voix, sans plus rien qui l'attache aux rives. C'est que notre littérature ne nous a pas encore fait mal; elle nous berce et nous dormons.

Richard et Bernard ont compris cela... ils sont... je suis tout attendri comme si, tant sous le béret que sous la tuque, c'était moi, ma jeunesse qui discutait de l'avenir. J'étais comme eux, sans doute. N'est-ce pas que j'étais comme eux, avide, assoiffé, dru, jeune enfin, jeune, jeune... Mon Dieu! que m'est-il arrivé? Un coup de vent et quarante ans sont passés. Je me suis couché peu après le soleil dans la force de mon âge et je me suis réveillé un homme qui s'attarde sans trop savoir pourquoi.

De mon temps, nous avions plus d'espoir. Nous étions persuadés qu'un jour nous l'emporterions par le nombre et je crois me souvenir que c'était là moins un enseignement reçu qu'une foi en notre supériorité biologique; absurdité, sans doute, mais qui nous aidait cependant à mourir plus tranquilles. Un cauchemar a donc effacé ce beau rêve. Ce qu'il adviendra de nous est entre d'autres mains. Moi, au fond, je ne suis plus vraiment sensible qu'à une chose : ce qui m'apparente à un autre être humain, n'importe lequel, un regard, une parole, un geste quelconque, son aspect, tout ce qui signifie que lui et moi appartenons à la même espèce et que nous sommes, nous, vivants sur la terre, sous les astres, devant les phénomènes terrifiants de la nature, cernés par le règne végétal, le règne minéral et par les innombrables espèces vivantes de notre règne, enveloppés d'air et de feu, et tout seuls dans notre solitude effrayante, avec notre faiblesse que nous transmuons en force, avec nos antennes invisibles et ces démons créés par nous que nous nommons Science, Art, Industrie et qui sont nos très humbles serviteurs tant que nous n'en sommes pas possédés.

C'est à ce point que je ne trouve plus personne laid ; le plus affreux, le plus vil, le plus déchu des hommes, c'est encore un être comme moi avec qui je partage ce que je ne comprends pas et qui m'épouvante : le monde, la vie — et qu'un même destin emportera dans l'ombre.

LE TRÉSOR

Dans la salle à manger, l'odeur des gens qui s'étaient réunis, les relents de cuisine, les cendres froides mélangées à la fumée de cigares, de cigarettes et de pipes, formaient encore un nuage nauséabond en dépit de l'air frais entrant par grandes bouffées depuis que Lilian avait ouvert la fenêtre.

Collin ne savait où s'asseoir. Ses talons s'accrochaient dans les déchirures du tapis; il tâchait de ne pas traîner les pieds, allait de l'office au corridor, se butait à la table ronde.

Joyce revint avec le crêpe qu'elle était allée déclouer sur la porte.

— Que fait-on de ces choses? demanda-t-elle. Est-ce que ça se jette? Est-ce que ça se donne?

Elle le tenait du bout des doigts, loin d'elle, comme un objet répugnant. Ce n'était pourtant qu'un crêpe noir et violet et même un beau, qui avait coûté cher à Collin.

— Ça se brûle, dit-il.

Des voisins amicaux venaient de partir. Ils étaient montés après les funérailles pour présenter à nouveau leurs condoléances, s'excuser de n'avoir pu accompagner le convoi jusqu'au cimetière, pour offrir leurs services à miss O'Brien et enfin connaître ses intentions au sujet de l'appartement, ce dont ils s'étaient montrés fort curieux.

— Je me suis retenu de les mettre dehors à coups de pied, s'écria Tim en entrant, le teint vif, les cheveux tout en boucles molles sur le haut de la tête. On aurait cru qu'ils allaient passer l'après-midi. Je les ai reconduits poliment jusqu'au trottoir, me contenant de toutes mes forces pour ne pas les envoyer retrouver la pauvre Grisella.

— Posez-vous quelque part, Collin, dit Joyce. Vous énervez Lilian. D'ailleurs, il ne peut y avoir une autre personne debout quand Tim circule et gesticule dans une pièce.

Lilian desservait la table, une cigarette entre les lèvres. Elle portait un tablier par-dessus sa robe noire.

— Tim est pareil à un damné Français, dit Collin. Tout en paroles, tout en bruits, tout en gestes.

Il s'assit.

Miss O'Brien, que les enfants Gallagher appelaient tante bien qu'elle ne fût que la soeur de leur défunte belle-mère, arriva derrière Tim; elle ôta son chapeau et ses gants.

— Se retenir, se contenir sont le fait d'un gentilhomme, Tim. J'ai eu raison de sortir. Cela m'a remise un peu. J'ai donc parlé longuement à l'abbé Foguarty. Le curé va s'occuper de moi. Il va me placer dans une maison de retraite, dans ce qu'on appelle un hospice de vieillards. Il est très difficile d'y entrer de nos jours et sans son aide... mais ce sera charmant... Je l'ai prié de me chercher une chambre assez grande pour y recevoir mon piano.

— Vous avez bien fait, dit Lilian. Ce serait trop triste de vivre ici toute seule, et il y a trop d'escaliers. Vous méritez un bon repos.

Tim et Joyce partageaient cet avis. Miss O'Brien ramasserait ses petites affaires et irait passer quelques jours chez Lilian en attendant une place à l'hospice. Avant de rendre le logis au propriétaire, on le ferait nettoyer.

— C'est effarant! fit Collin en indiquant le désordre, la poussière.

— Que voulez-vous, dit miss O'Brien. Il fallait que je prenne soin d'elle. Je ne suffisais pas à tout. Oh! elle va me manquer, la pauvre! Mais ce sera nouveau pour moi d'être libre, et peut-être même agréable.

Grisella O'Brien, seconde femme de leur père, n'avait pas maltraité Lilian, Joyce et Timothy. Elle leur avait montré une sorte d'affection pleurnicheuse où n'entrait pas le calcul, où n'entrait pas non plus le moindre effort de compréhension pour ces enfants rendus difficiles par la mort de leur mère et par la conduite d'un père inconstant. Ils s'étaient élevés à peu près seuls, s'étaient organisé une vie à eux, équilibrée à la vaille que vaille, soutenue néanmoins par un amour fraternel auquel Collin n'osait pas se mesurer. Il savait, depuis son mariage avec Joyce, que les Irlandais ont souvent un esprit de famille qui ressemble à celui des Gitans, et il acceptait la présence fréquente de cette Lilian maritorne, de ce Tim bohème et colérique toujours en désaccord avec lui, leur sachant gré de ne pas s'implanter dans sa propre maison.

Tim, s'adressant à miss O'Brien :

— Par quel procédé la pauvre chère Grisella était-elle devenue si énorme ? lui demanda-t-il. Du vivant de Dad, elle mangeait assez peu à table. Je me souviens qu'en revanche elle grignotait sans cesse entre les repas : criche-crouche tel un écureuil.

— Oui, dit Joyce. Je me souviens aussi. Quand je rentrais chez elle à l'improviste, elle cachait quelque chose dans une commode et, me grondant, m'enjoignait d'aller ailleurs.

— On ne sait vraiment rien d'un être quand on ne sait pas pourquoi il maigrit ou engraisse, dit à son tour Lilian.

— Vraiment ? dit Collin. La personnalité tient donc à bien peu de choses !

Tim ne tolérait pas l'ironie ; il jura.

— Je veux dire… commença Lilian, rougissant de ce qu'elle croyait une sottise.

— Permettez !

Miss O'Brien intervint et se gratta la tête près du front.

— Permettez que je vous réponde. Eh bien, pendant les quelques années que j'ai vécues près d'elle, après la mort de notre pauvre sainte mère — oh ! mais elle était si vieille, si vieille! On vit très vieux en Irlande — non, elle n'a pas beaucoup mangé.

Et comme si ce sujet lui tenait fort à coeur, elle poursuivit...

— Par-ci, par-là, un biscuit, une pastille de menthe. À table, c'est à peine si elle avalait un morceau de viande — elle mit deux doigts ensemble — gros comme ça, et cependant elle augmentait de volume à vue d'oeil. Je lui disais : «Grisella, ma chère, vous enflez, vous enflez, vos poumons retiennent l'air, il y a quelque chose, voyez donc un médecin, ce bon docteur Murphy, par exemple — il a si bien soigné Niall — ou un autre, mais ce n'est pas tout à fait normal de prendre autant de poids.» Elle me disait de me taire. J'avais beau parler. Pouvait-on discuter avec elle? Pauvre soeur! Si douce, mais si indolente! Je l'avais mise en garde. Votre Dad, un coquin, vous le savez, le bijou des dames, ce n'était pas un homme à se marier, encore moins à se remarier. Oh! charmant, même pour moi; quand il m'appelait vieille vierge, ça ne me choquait plus, à la fin...

— Taquinerie innocente, interrompit Collin d'un ton poli.

La faconde de miss O'Brien l'ennuyait, car elle ne se laissait pas endiguer facilement.

— Bref, il est donc entendu que vous ne quittez pas Montréal?

— Pourquoi le quitterait-elle? Là-bas, elle n'a plus personne. Elle n'a plus que nous dans ce pays-ci, dit Lilian. Nous nous occuperons de vous, ma tante. Plus tard, il faudra tirer au clair l'état de vos finances.

— Mes finances?

Sur ce terrain-là, Collin était à l'aise.

— Mais oui. Voyons ce qu'a pu vous laisser Grisella, ce qu'elle a sauvé d'un mari prodigue.

— Est-ce le moment de parler de cela? dit Joyce.

— Ce n'est pas moi qui ai abordé la question. Mais le moment me semble opportun.

— Laisser? Me laisser? Des bagues venant de notre famille; je les donnerai à Joyce et à Lilian, et puis enfin, je ne sais pas. Il y avait l'assurance de mister Gallagher, placée en viager; cela nous aidait à vivre.

Elle pencha sa tête blanche comme pour mieux réfléchir.

— Nous ne vivions même que de ce revenu. Grisella me donnait de l'argent pour les dépenses ordinaires: le gaz, l'électricité, la nourriture. Le reste, elle le mettait de côté, je suppose.

— Vous ne semblez pas très sûre de ce que vous dites, miss O'Brien, remarqua Collin.

— Laissez-la, pour Dieu! cria Tim. Vous ne voyez donc pas que toutes les idées sont mêlées dans sa tête comme des légumes dans une salade?

Miss O'Brien parut s'effrayer.

— Tim, allons, pourquoi ces éclats? Il faut dire la vérité au mari de Joyce, même si cela m'est pénible. Croyez-moi, Collin, Grisella ne m'a jamais rien confié. Des trois cents dollars qu'elle recevait chaque mois, le loyer mis à part, je veux dire, je n'ai jamais vu que cent dollars, qu'elle me remettait pour employer comme je vous ai dit; un minimum pour vivre toutes les deux dans cet appartement trop grand déjà quand votre père vivait, car il n'y mettait guère que ses habits. Ma soeur me disait qu'elle ne le voyait qu'entre deux changements de costume.

Lilian, Joyce et Tim sourirent. Collin haussa les épaules.

— Et alors?

— J'essaie de tout vous expliquer. Ma soeur est sortie presque jusqu'à la fin. Quinze jours, tenez, quinze jours avant sa mort, la pauvre douce enfant est allée faire des courses. Le lendemain…

— Vous avez compris, Collin? fit Tim dont la voix vrombissait.

— J'ai fait encore du café, du café fort. Qui en veut? Tout le monde. Nous en avons tous besoin, décida Lilian.

Le jour baissait. Au-dessus de la table et pendant du plafond, une cloche en verre épais et violemment coloré couvrait trois ampoules électriques. Elle alluma.

— Quand je pense que Grisella est à peine descendue dans sa tombe que nous nous arrachons ses restes miteux. Quelle famille sordide! Ma tante, quelle petite sorcière vous êtes!

— Pas de mélo, dit Collin. Assez de verbiage! Ceci est une discussion sérieuse, où il n'y a de place ni pour une comédienne, ni pour un agité...

Il se boucha les oreilles avec ses mains pour ne pas entendre les protestations. Miss O'Brien souriait, l'air absent.

— Et poursuivons dans le calme ces considérations en marge de la vie d'une personne, vulgairement appelées post-mortem, tout en prenant garde que ce phénomène de surexcitation qui traverse les gens lors d'un enterrement ne nous induise pas à nous entretuer, même pour rire. Je suis un homme occupé. Si je reste ici où ça sent bien mauvais, où il fait à la fois chaud et froid, où tout est d'une lamentable drôlerie, c'est que je veux savoir si miss O'Brien, qui nous est chère à tous, aura de quoi vivre sans mon secours. Puis-je être plus clair?

— Non, dit Lilian. Ni plus inélégant.

Était jugée inélégante par les Gallagher sans le sou, toute allusion à la prospérité de Collin.

— Merci. Je vous aime aussi, Collin, mais j'espère bien ne rien devoir accepter de personne, dit miss O'Brien.

Et malgré l'envie qui la démangeait de commenter ses sentiments dans un style victorien, elle se promit de s'en tenir aux faits.

— Eh bien, voilà: depuis cinq ans, Grisella aurait dû économiser près de deux cents dollars par mois.

Il y avait une petite note de triomphe dans sa voix quand elle énonça cette phrase qui n'apprenait rien au mari de Joyce.

— Deux fois douze, vingt-quatre, multiplié par cinq, dit rêveusement Tim. Douze mille dollars, hourra! Vous êtes riche, ma tante!

— Certes. Mais elle en a dépensé un peu là-dessus, pour des friandises, des timbres, elle recevait pas mal de lettres — elle devait donc en écrire — des revues, ainsi de suite.

— À quelle banque déposait-elle ses économies?

— Voyez-vous, continua-t-elle, cette somme suffirait à m'installer très confortablement dans le couvent dont je vous ai parlé, ou dans une de ces pensions si gaies où l'on se fait vite des amies.

— Je vous demande, miss O'Brien, à quelle banque votre soeur portait son argent.

Joyce s'approcha de la vieille demoiselle et l'embrassa.

— Ne vous laissez pas affoler. Au fond, il prend soin de vos intérêts.

— Quand je songe, pauvre tante, à la vie que vous avez menée avec notre belle-mère, combien vous avez été privée de tout, j'en pleurerais, murmura Lilian. Et vous ne vous êtes jamais plainte.

— Ah! j'ai des ressources, ma fille. Je tricote, moi! Vite et bien. Un petit chandail par-ci, un châle… j'arrive à gagner un dollar, un dollar et demi par jour… c'est… nous n'avions pas été élevés pour la vie d'aujourd'hui. À la pension où j'irai…

Collin d'impatience, frappa la table.

— Revenons, s'il vous plaît, à la question que je ne cesse de vous poser, miss O'Brien.

— Eh bien oui, là, revenons-y. Du calme, Tim! Je croyais vous avoir déjà répondu. Grisella ne m'a jamais tenue au courant de ses transactions financières. Pouvais-je prévoir ce qui lui est arrivé? Elle croyait sans doute que je mourrais bien avant elle. J'étais son aînée de huit ans. Elle allait et venait. Elle ne parlait jamais de banque. Je ne l'ai jamais vue signer un chèque. Il y a deux semaines, elle a eu un coup de sang, la paralysie; elle n'était plus capable de me parler.

— Bon, dit Collin. Nous savons à quoi nous en tenir là-dessus. Maintenant, je présume que vous n'avez pas eu la curiosité de regarder dans ses papiers? dans son bureau? dans son sac à main?

— Moi? dit miss O'Brien, les yeux ronds. Naturellement non.

— Naturellement non. Puisqu'il en est ainsi, nous irons tous ensemble chercher ce trésor inconnu que Grisella n'a pu enfouir dans une île déserte.

Lilian, Tim, Joyce et miss O'Brien se regardèrent en silence et regardèrent Collin. Il se leva, s'étira.

— Le café nous a donné du courage. Allons-y, dit-il.

— Aujourd'hui? Si tôt? fit Joyce, presque à voix basse.

— Elle ne reviendra pas vous tirer les orteils durant la nuit, si c'est cela que vous craignez. Et puis, il faut bien que ça se fasse, n'est-ce pas?

— On ne fouille pas dans les effets d'un mort

le jour où il est enterré, dit Tim.

— Non? Je parie que vous venez d'inventer cette vieille croyance populaire. Vous en inventez sans cesse de nouvelles, vous autres.

Il quitta la salle à manger, les laissant dans leur appréhension superstitieuse et se dirigea vers la chambre où la seconde Mrs. Gallagher avait vécu depuis son mariage, et où elle était morte.

Il y pénétra avec l'impression étrange, sorte d'anxiété sans cause rationnelle, que la peur émanée d'autrui fait souvent naître chez l'être le plus stable. C'était à première vue la pièce la mieux tenue de l'appartement. Les meubles en noyer rouge sculptés au couteau, d'époque Édouard VII, venaient de la mère de Mr. Gallagher, une Canadienne française qui avait élevé son fils, disait-on, dans la plus extrême indulgence. Le tapis était moins râpé que les autres tapis, et même encore beau. Les rideaux de filet, les tentures et le couvre-pieds en velours découpé faisaient encore riche. Il y avait un nécessaire en argent sur la coiffeuse. À côté du calorifère cependant, on avait oublié une table à cartes recouverte d'un linge blanc, où étaient disposés, avec cette bizarrerie qui résulte de l'ordre qu'on veut mettre parmi un tas d'objets hétéroclites, un flacon d'alcool à friction, des tampons d'ouate bien empaquetés, un crucifix sur pied en cuivre, des petites bouteilles, une bassine, un étui à lunettes.

Rien n'avait jamais semblé plus triste à Collin. Il se sentit soudain guetté, cerné par les portraits de famille qui lui paraissaient tendus derrière leur vitre, comme s'ils avaient voulu la briser et empêcher un viol, le viol que Collin allait commettre. Il revoyait l'immense Grisella mourante dans son lit, incapable de se mouvoir comme de parler, ne voyant plus, n'entendant plus, ne pensant peut-être plus, car si Dieu peut faire miséricorde, laisse-t-il les pauvres hommes penser lorsque leur corps n'est plus qu'un tombeau? dans la plus complète dépendance? dans la plus totale impuissance? Et dans l'inertie effroyable d'un corps privé de toute communication, la pensée peut-elle lutter toute seule contre la succion du néant? Jusqu'à ce jour, Collin avait cru que Mrs. Gallagher ne s'était rendu compte de rien; devant le lit vide, il ferma les yeux et souhaita que ce fût vrai, tandis qu'une vague de pitié presque insupportable l'envahissait brusquement. Il soupira et revint à son projet: découvrir le secret de Grisella, un secret vieux de cinq ans, et peut-être plus vieux encore.

Il n'y mit pas longtemps. Il ne vit d'abord rien qui attirât son attention, ni dans le sac au petit point accroché près du lit, ni dans le pupitre, sauf une grosse clef. La clef ne pouvait aller que dans les grosses serrures de la commode, cela se devinait tout de suite, et il s'approcha du meuble massif. Il ouvrit un à un les trois premiers tiroirs. Profonds, ils débordaient de coupures et de tickets de toutes les dimensions retenus en liasses par des élastiques.

Il y avait aussi des lettres de divers pays, de mystérieux petits calepins noirs remplis de noms et d'adresses plus louches les uns que les autres — des noms comme Billy Zouch, Fred Nafta, Slick T. Marouski —, des journaux jaunes ou roses relatifs aux courses de chevaux, pliés en deux sur la longueur avec des mots soulignés ou entourés d'un cercle; mais il y avait surtout dans ces tiroirs dégorgeants, des centaines et des centaines de billets de loterie, Loterie nationale, sweepstake irlandais, etc., et même des billets de tombolas, tous marqués d'une croix au crayon rouge, marqués *no good* — sans valeur — de la main de Grisella. Il y avait aussi des récépissés de mandats-poste pour des sommes envoyées à travers le monde, partout où la chance tenait ses assises : tous les vains espoirs de Grisella, tous ses vains assauts livrés à la Fortune. *No good, no good.*

Collin sentit qu'il n'était plus seul, il se retourna; sa femme se tenait dans la porte, les yeux graves. Tim, miss O'Brien et Lilian la rejoignirent.

— Qu'est-ce que c'est? Qu'est-ce que nous?...
Alors ils se précipitèrent près de lui.

— Les papiers?

— Regardez... ils ne valent rien. Lisez... ou plutôt, remettons cela à demain. Ne restons pas dans cette chambre.

Miss O'Brien pleurait. Collin lui mit la main sur l'épaule.

— Je suis là, vous savez?

— Oui. Ah! j'étais tellement sûre de mourir avant elle. Merci... mais la charité...

— Ne parlez plus jamais de cela, ma tante, dit Joyce. La pauvre chère folle! Elle essayait de faire fortune. Elle n'a pas eu de veine.

Miss O'Brien, reniflant, protesta:

— Oh! je ne lui jette aucun blâme.

— Les intentions de Grisella étaient bonnes, dit Tim. Je plains celui qui en dira du mal devant moi.

Collin prit une liasse de billets de loterie marqués *no good* au crayon rouge, fit sauter l'élastique qui les retenait ensemble, et les envoya au plafond.

— Voilà comment vous êtes, vous autres. Aussi légers, aussi nuls. Rien ne vous affecte en profondeur.

— Ce n'est pas vrai, dit Joyce.

— Maudit bloke! cria Tim.

— Voyons, du calme, dit miss O'Brien à l'adresse de Collin ou à l'adresse de Tim.

— Où est donc cette maudite clef? demanda Tim qui tirait en vain le dernier tiroir. Celui-là, vous ne l'avez même pas ouvert. Ouvrez-le donc! Vous perdez bien vite espoir, il me semble.

Collin lui lança la clef.

— Ouvrez-le vous-même. Je ne suis plus curieux. Il s'approcha néanmoins pour voir. Miss O'Brien tenait serrée très fort la main de Joyce, lorsque Tim mit au jour une masse gluante de gâteaux à la crème rancis, de biscuits infestés d'insectes, de bonbons et de chocolats à demi fondus mêlés à des fruits pourris et à du beurre puant: les provisions de Grisella, ce qu'elle aurait mangé en deux ou trois jours, sans doute, ce qui l'aurait soutenue entre les repas où elle ne prenait rien.

Ils reculèrent tous comme heurtés au visage. Collin referma le tiroir en le poussant du pied.

— Vous aviez raison, Lilian. On ne sait vraiment rien d'un être quand on ne sait pas pourquoi il maigrit ou pourquoi il engraisse, dit-il.

Mais, ayant quitté la chambre depuis quelques minutes, Lilian dans la cuisine préparait du café fort, une cigarette nouvellement allumée entre les lèvres.

UN NOËL POUR CHOUCHOU

Chouchou revint de l'école pour déjeuner comme d'habitude avec son père, sa mère et ses grands-parents. Ceux-ci, elle les appelait Opapa et Omama, à la mode autrichienne. Elle avait un charmant petit nez oriental, des yeux allongés pleins de candeur; avec ses cheveux courts et torsadés comme le pampre, elle ressemblait à Jean-Baptiste enfant ou encore, au jeune Bacchus. Elle se mit à table sous le regard perpétuellement attendri de *ses* quatre grandes personnes et déclara sans préambule :

— Jésus est notre Vie !

Le ton était péremptoire.

Opapa et Omama plongèrent leurs cuillers dans le potage après un instant d'hésitation, son père réprima un sourire, et sa mère lui dit doucement :

— Dans notre famille, Suzanne, on ne croit pas cela.

De sa voix haute et claquante, Chouchou demanda :

— Pourquoi Jésus ne serait-il pas notre Vie ?

— Parce que nous sommes juifs.

— Eh bien, quand même, moi, je trouve que

Jésus est notre Vie et ça ne m'intéresse pas, moi, d'être juive.

Son père était israélien d'origine. Il lui dit :

— Il est parfaitement honorable d'être juif. Quand ses parents sont juifs, on est juif par conséquence naturelle.

— Pourquoi n'allons-nous pas à la synagogue, comme Alex, par exemple ? (Alex était un camarade.)

— Notre famille n'est pas pratiquante, répondit Opapa. Nous n'avons aucune conviction religieuse depuis je ne sais combien de générations.

Puisqu'on discutait avec elle, Chouchou s'obstina :

— Quand je chante :

Telle une lumière pure et claire
Jésus veut qu'on brille

personne ne m'en empêche.

— C'est une chanson que tu chantes à l'école avec les autres…

— Cependant, Alex, lui, il la chante en disant *Moïse* au lieu de *Jésus* pour ne pas déplaire à ses parents. Ils sont tout à fait juifs, eux, ils vont à la synagogue.

— Ce sont des juifs religieux, dit Opapa.

— Qu'est-ce que c'est être juifs, si on ne va pas à la synagogue ?

Opapa vida son assiette et répondit :

— On est juif par tradition, de père en fils, de mère en fille. C'est tout.

— Quand est-ce que ça va s'arrêter ?

— Quel avantage y aurait-il à ce que ça s'arrête ? Faut-il que tout le monde soit comme tout le monde ? La nôtre est une tradition vieille et fort belle.

Alors, Chouchou songea qu'on était déjà à la mi-décembre, que Noël se passerait encore sans crèche, sans couronne de houx, sans arbre étincelant. Cette année encore, elle serait l'étrangère errante, la spectatrice, celle qui reste en marge. Pourtant, elle irait tous les jours chez les amis chers à son coeur : Didine et ses frères, Coughi et Toutou. Elle partagerait leur anticipation exubérante, reviserait avec eux la liste très longue des cadeaux qu'on espère recevoir et celle plus modeste de ceux qu'on croit pouvoir donner. Parmi les présents offerts à l'occasion de *Chanukha*, les parents de Chouchou en réservaient trois ou quatre qu'ils lui remettaient pendant les Fêtes chrétiennes, afin qu'elle ait aussi quelque chose de neuf à montrer à ses amis; on les lui donnait toutefois sans aucun apparat. Entre Noël et le lendemain de l'Épiphanie, elle visiterait probablement quelques églises avec Didine, qui était catholique; en tout cas, au moins une, peut-être, si on pensait l'inviter… Mais ici, il n'y aurait pas de décorations, pas de cantiques chantés en choeur, pas de boules d'or, pas d'oiseaux de verre, pas de bougies électriques dans les fenêtres, pas de bas dans la cheminée; et surtout, pas d'arbre, pas le moindre !

— Puisque Didine est ma seule unique meilleure amie, s'écria-t-elle, puisque Didine m'a dit que j'étais sa soeur, ne me laisserez-vous pas être un tout petit peu chrétienne? Ne pourrions-nous pas avoir un tout petit Noël juif?

— Je crains qu'il y ait des notions qu'on ne puisse concilier, répliqua sa mère. La discussion est close, Suzanne.

Chouchou aurait pu arguer que Jésus était juif, un bien grand Inspirateur si on en jugeait par les oeuvres d'art de ses adeptes, mais on ne peut s'attendre à tant de science de la part d'une jeune fille de sept ans.

Omama n'avait rien dit. Durant les jours qui précédèrent la Nativité, elle se surpassa dans la confection de pâtisseries viennoises, amena Chouchou voir les marionnettes, termina le chandail qu'elle lui destinait et lui chanta des chansons drôles à en perdre la voix. Chouchou la remerciait en l'embrassant d'un air plus ou moins résigné.

Et les sapins s'allumaient devant les maisons, les guirlandes lumineuses encadraient les fenêtres et les portes, la neige se teintait de rouge; des Pères Noël, des anges, des feuillages d'argent poussaient partout.

Et enfin, ce fut la veille de Noël.

Didine convia Chouchou à dîner:

— Tu nous aideras à décorer notre arbre, dit-elle. Nous avons de nouvelles clochettes, des cannes en sucre et beaucoup de glaçons. Ça sera superbe. Et puis, on fera la crèche.

Après s'être frottée au merveilleux chrétien qui lui semblait non pas exotique mais familier au contraire, et dont elle était exclue en vertu d'une tradition mystérieuse pour elle, Chouchou retourna chez elle et se coucha, tendrement bordée par Opapa et Omama.

Ses parents étaient sortis, chacun de son côté. Ils rentrèrent vers neuf heures. La maman de Chouchou dit à son mari :

— Paul, j'ai fait quelques achats ce soir.

— Moi aussi, je suis allé dans les magasins.

— Tu me trouveras ridicule, Paul, tu vas... enfin, regarde. Et elle lui montra un arbre de Noël, haut comme une bouteille de vin, tout blanc, orné de boules rouges.

Son mari la prit dans ses bras et lui présenta à son tour un petit arbre tout vert, poudré de givre bleuté, surmonté d'une étoile d'or.

— C'est pour Chouchou, dirent-ils ensemble.

— Nous mettrons le mien dans la salle à manger, dit-elle, et le tien dans sa chambre, c'est le plus joli des deux. J'ai acheté quelques cadeaux...

— Bien sûr, dit-il. Toutefois, je me demande si l'étoile de mon arbre n'est pas un peu trop ?

— Oh non ! dit-elle. Nous lui dirons que c'est l'étoile de David.

LES NÉO

Étéri Vargas, pendant qu'elle était servante chez les Doddy-Connors, prenait le soir des leçons de danse, de chant et de diction pour se garder en forme et perfectionner sa prononciation française. La diction lui coûtait trois dollars l'heure; la danse et le chant, rien du tout parce que ses professeurs étaient des amis, réfugiés comme elle, mais polonais, Carol et Tatine Hamski.

Tatine Hamska dansait à en rêver... un papillon sur une pelouse, une luciole dans un bosquet, une plume échappée d'un coussin : une merveille! Étéri la dépassait d'une demi-tête et pesait bien vingt livres de plus.

— Mais ton corps est souple, disait Tatine, et tes muscles sont longs. Tu ne feras jamais une danseuse de ballet, sur la scène, dans une opérette par exemple, oh, excellent! La grâce, la voix, tu as tout pour toi.

Carol possédait la méthode de Chaliapine.

— Il n'en avait aucune, voyons!

— Étéri Vargas, taisez-vous! Qu'en savez-vous? Tais-toi. Qu'il en ait eu une ou non, moi, j'ai douze élèves et un engagement régulier à *L'heure tzigane*. Il a fallu une sacrée méthode pour trouver ça en moins de deux ans. Et maintenant, ouvrez la bouche et chantez!

Lorsqu'Étéri vint les voir ce soir-là:

— Les Doddy-Connors ont enfin trouvé une esclave, une autre, et je les quitte à jamais, sans larmes ni grincements. J'ai un pécule en banque et cinq nouvelles vieilles robes, pas tellement, tellement vieilles...

— Tu vas coucher dans le studio, décida Tatine Hamska.

Étéri depuis une heure avait loué une chambre; non, non, ce n'était pas loin du tout, deux rues à l'est, dans une maison assez propre.

— Tu vas travailler où?

— Voilà, voilà, c'est ma surprise pour vous. Venez ici. Venez tout près. Venez que je vous tienne tous les deux par le cou. J'ai, j'ai, oui, un petit rôle dans *Nuit d'azur* à l'Opéra-Léger. Et puis, écoutez bien: je fais partie de l'Union.

— NON!

Carol et Tatine Hamski appelèrent tout de suite les amis. Les uns s'amenèrent avec du café turc, des gâteaux viennois, du chianti, des *zakouski*, des *boublitchki*, de la *prunella* Dolfi; les autres apportèrent cinq flûtes de Traminer, un véritable-pâté-de-foie-gras-du-Périgord, des oeufs de poisson, du curry pour le riz.

Doïna fit une *mamaliga* aux champignons;

Robert, une fondue sans truffes mais bien bonne tout de même, et Tatine dansa tout autour de la table, et même dessus à la fin du banquet.

La neige tombait en flocons gros comme des pétales de roses blanches. Tatine jeta des morceaux de soie bleue sur les ampoules, et dans une tunique blanche imita le vol plané, la tombée des flocons. Elle s'arrêta quand les morceaux de soie commencèrent à roussir.

— … et je vais voir demain un directeur à la télévision nationale, expliquait Étéri.

— Qui est-ce? J'en connais plusieurs, dit Putzi.

Celui-ci jouait de la cithare et chantait en anglais, en français, en espagnol, en portugais, avec un délicieux accent autrichien.

— Attends, là, j'ai son nom. Il s'appelle monsieur Émile-Jean Bellisle.

Carol se gratta le menton. Il connaissait de vue ce monsieur…

— Il est extrêmement puissant, dit Putzi. Attention, petite chatte, il mange les souris.

— Du moment qu'il ne mange pas les chattes…

On était si bien. On avait chaud. Il n'existait plus que ces murs, ces barres, cette large glace, ce divan, ce vieux piano, ces coussins brillants par terre. On parlait allemand ou russe, ou français-de-France, avec des phrases entières en roumain, Canadiens par choix, par chance, par hasard, parce qu'en dehors de sa patrie un pays en vaut un autre. Pourquoi pas le Canada? Le Canada parce que, ah, parce qu'on y parle français, parce que c'est grand, parce qu'on dit que c'est très riche, parce que c'est un pays qui n'a jamais fait de mal à un autre, parce que c'est loin, parce qu'il faut recommencer, revivre; renaître à vingt, à trente, à quarante ans.

Après les chansons, la cithare, les danses, on se tait.

La neige couvre les vitres, enveloppe la ville. On regarderait dehors, qu'on ne la reconnaîtrait plus. C'est la neige universelle, la couverture internationale. Quand il neige, on peut être n'importe où: Robert à Annecy; Doïna dans une rue de Bucarest; Putzi dans le Tyrol; et les autres, chacun dans son *ailleurs* passé, un *ailleurs* qui somnole quelque part dans la tête et qui se réveille parfois avec un grand sursaut.

Alors Étéri respire l'air de Debrecen, Carol cherche sa maison à Varsovie, et n'arrive pas à retrouver sa rue.

— Ma tante Ania demeurait à Zagreb, dit tout haut Pavel Simenovitch. Je n'y suis pas allé depuis 1938.

Il n'aime pas se souvenir de Belgrade où sa fille est morte de faim.

Il est cependant vrai qu'on pourrait très bien n'être pas à Montréal, ce soir. Neige-t-il là-bas?

— Moi, je suis contente d'être ici, dit tout à coup Tatine.

Le souvenir se brise comme un miroir; on l'entend, presque.

Tatine a mis un collant noir. Elle allume des bougies, éteint les lumières, place un disque sur le pick-up, c'est *Deux morceaux en forme de poire* de Satie. «Pour vous préparer», dit-elle. Après, elle fait tourner les *Mouvements perpétuels* de Poulenc et improvise une danse à la fois triste et drôle.

— Cette musique-là me donne un goût de mort amère, soupire Étéri.

Il faut que Carol ranime l'ambiance. Malgré elle, Noémi fredonne une chanson qu'elle a apprise au camp.

On se sépare enfin. Il faut se voir, il le faut, bien que les soirées se terminent toujours par un coup de cafard.

Étéri s'étend du mieux qu'elle peut; le lit est creux au mauvais endroit. Le couvre-pieds, les draps sont propres, mais la couverture est tachée, elle ne sent pas bon. Étéri se lève, jette la couverture sur une chaise, enfile un chandail, des chaussettes, couvre sa tête et son cou avec un châle fin; le manteau sur les pieds, ça ira... pour ce soir, pense-t-elle. Demain, je prendrai le temps de chercher une bonne chambre, avec peut-être un lavabo et la permission de faire mon petit déjeuner, mon souper.

Ce n'est pas si mal. Elle a déjà dormi dans un wagon à bestiaux, sur la terre gelée, dans un fossé nauséabond... il y a longtemps, dormi, oui, partout où c'était possible, il le fallait, ce n'était pas trop dur, mais le froid, le froid... que c'était bon, la terre, s'allonger après des heures passées debout, mais le froid… ah ! mon Dieu ! plus jamais le froid ! Merci, mon Dieu, pour le lit creux, le chandail, le Canada, l'Opéra-Léger, la cuisine chez les Doddy-Connors, le quai, le bateau, le mal de mer, les baraques tièdes, la Croix-Rouge, les Quakers, la première vraie robe, le thé chaud, les Anglais, la fin de l'épouvantable désespoir…

LA VUE

— Granny, je suis accablé de honte. J'ai complètement oublié les graines de tante Harriet.

La famille prenait le thé sur la véranda vitrée parce qu'il faisait aujourd'hui beau et chaud. À travers le bow-window, le regard de sir Alfred dévalait le flanc roussi du mont Royal pour glisser au loin sur le fleuve encore ensoleillé, puis revenait lentement vers la ville, s'arrêtant là où des taches rouges, violettes et jaunes lui apparaissaient entre deux toits. Il guettait ainsi chaque jour la coloration progressive des arbres.

Entre le fleuve et la montagne, et ce lieu haut perché dans la montagne, s'inséraient maints quartiers qu'on ne fréquentait pas, où il n'arrivait jamais à lady Barton de passer.

— Vous ne songez donc qu'à vous-même, qu'à vos jeux? dit-elle à son petit-fils.

Tante Harriet cultivait les dahlias. Bien qu'elle ne fût plus très riche, on craignait de la blesser, car elle avait la réplique mordante, et sir Alfred lui témoignait de l'affection. Il prétendait lui devoir beaucoup. Lady Barton voulait ne rien devoir à personne. Elle se croyait née pour le monde où elle évoluait. Tandis que Harriet exhibait ses fleurs dans les expositions où elle rencontrait des gens d'une autre sphère que la sienne, lady Barton ne frayait qu'avec ses égaux. Quand elle allait à l'église ou quand, par exception, elle entrait dans une boutique, elle avait une façon de ne pas se rendre compte que des êtres humains l'entouraient, de les regarder pour ainsi dire comme s'ils étaient transparents, comme s'ils n'existaient pas. Tandis que Harriet participait de son mieux aux ventes de charité, avec ses mains calleuses, lady Barton signait des chèques. Ce n'était même pas voir de loin la misère, c'était s'en débarrasser avant de l'avoir même perçue. Car dans la vie, il y avait l'argent et le reste, les riches et les autres. Harriet choisissait d'appartenir au clan des autres et dans son rôle d'intermédiaire entre pauvres et riches, elle n'était après tout qu'une mendiante. Harriet n'apprendrait jamais à garder sa place, et le pis est qu'elle promenait avec elle ses problèmes : un hôpital à construire, un chat égaré, un ancien forçat à réhabiliter, la Croix-Rouge, les Filles de l'Empire et autres préoccupations extrêmement fastidieuses. Lady Barton perdait son temps à lui dire qu'il y avait des serviteurs pour ça, des fonctionnaires pour ça, la classe moyenne pour ça, Harriet s'entêtait et embêtait toute la famille ; sir Alfred l'approuvait et appuyait toutes ses croisades. Enfin, on lui avait promis des graines, elle les aurait.

Lady Barton tourna la tête vers sa bru qui entrait

et, la voyant chapeautée et gantée, interrompit ses réflexions.

— Où allez-vous, Adélaïde ? dit-elle, sans intérêt.

— Cocktail chez les Ross-Brown, dîner en ville. J'ai besoin de distractions, mère. La séance de pose m'a beaucoup fatiguée.

Elle était grande avec des cheveux courts et très blondis, et un visage beau, dur comme en ont les belles femmes qui ne se sont jamais abandonnées. Elle se faisait peindre par un artiste sans fantaisie et habiller par un couturier analogue. Elle serra sa cravate de zibeline autour de son cou, dit un mot à son beau-père, sourit à ses enfants et s'en alla.

On l'oublia tout de suite.

En ce moment, il était question d'ouvrir la maison de Nassau. On y allait parfois l'été, mais on y passait toujours au moins deux mois en hiver.

— Nous partirons immédiatement après Noël, dit lady Barton, car il faut revenir au début de mars pour le mariage MacIntosh.

— On n'a pas idée de se marier à la fonte des neiges, dit Freddy.

— C'est une bonne idée, au contraire, puisqu'ils iront en Italie.

Gladys et Becky mangeaient sans parler. Miss White, ayant bu sa seconde tasse de thé, reprit son ouvrage. Sir Alfred regardait toujours dehors.

— La vue est ravissante, murmura-t-il. Je l'apprécie toujours autant. Lorsque vous porterez les graines à votre tante, Freddy, vous l'inviterez de ma part à venir prendre le thé demain.

— Vraiment, Alfred, dit lady Burton. Ne suis-je pas capable de faire chez moi les invitations qui s'imposent?

— J'ai plaisir à voir ma soeur et vous ne la demandez pas souvent.

— Cela m'ennuie d'aller chez elle, dit Freddy. Envoyez donc les filles, ou bien Whitey, ou bien le chauffeur. Elle me retient chaque fois pour me faire admirer ses pots et ses plantes. Rien n'est aussi stupide qu'une serre.

— Je sais, mais tant pis, vous irez quand même, lui répondit sa grand-mère. Elle vous adore. Vous êtes son préféré.

— Ce n'est pas gentil pour nous, dit Becky.

— Au contraire, dit miss White. Cela vous évite bien des corvées. Vous n'êtes la préférée de personne et l'être le plus libre qui soit.

Gladys était très belle. On la demandait partout à cause de cela, on la photographiait sans cesse. Becky la suivait dans le monde sans trop d'enthousiasme.

— Becky fera son chemin, dit sir Alfred. Manque-t-elle d'affection?

— Oh! non. Oh! non, dit-elle en plissant le nez.

Lady Barton avait en horreur ces conversations où les sentiments venaient se mêler aux sujets d'intérêt général et se reprocha d'avoir engagé celle-ci.

— Ne mangez pas tant, Gladys, fit-elle pour y

couper court. Qu'une gloutonne pareille puisse garder la taille fine est pour moi un mystère!

— Vous aurez des boutons dans la figure, ajouta miss White. Toutes ces pâtisseries engorgent le foie.

Miss White était entrée dans la famille en uniforme blanc, nurse hautement recommandée, pour prendre soin de Gladys à huit jours. Et puis, sans quitter Gladys, elle avait pris soin de Becky à huit jours. Plus tard, en uniforme gris-bleu, elle avait continué de les élever jusqu'à ce que Adélaïde s'avise de la remplacer par une gouvernante française. Miss White partit, Gladys et Becky refusèrent de manger et de jouer. La crise dura un mois et se termina par le départ de la gouvernante et le retour de miss White. Et depuis, vêtue comme il lui plaisait, la nurse était restée auprès des deux petites. Elle lut des livres de pédagogie et de diététique. Les débarbouiller, les mener à l'école, surveiller leurs devoirs, cela lui était payé. Mais elle les endormit, soigna leurs bobos, écouta toutes leurs histoires, répondit à toutes leurs questions. Elle leur enseigna comment prier Dieu, comment penser à autrui.

Entre Gladys et Becky, il n'y avait jamais eu qu'une seule cause de chicane, qui débutait ainsi.

— Quand je serai grande, Whitey restera chez moi.

— Non, chez moi.

Whitey tranchait la question en disant qu'elle irait là où naîtrait le premier bébé. Quand elle les regardait, une sorte de chaleur lui montait au visage et illuminait ses yeux ternes. Elle se croyait indispensable et durant des années elle n'avait pas dormi tranquille, tellement elle avait peur d'entendre la voix d'Adélaïde lui dire qu'on pourrait dorénavant se passer de ses services. Maintenant, elle surveillait le régime de Gladys et de Becky, leurs sorties, voyait à leur linge. Personne ne les séparerait plus d'elle. À vrai dire, Adélaïde Barton était bien trop contente de s'être aussi facilement débarrassée de ses filles et regrettait de n'avoir pas su trouver une perle rare pour Freddy que lady Barton gâtait à l'excès.

— C'est affreux d'aller à Nassau d'aussi bonne heure, dit Becky. Il y aura un carnaval extraordinaire au mont Sauvage, le 1er janvier. Si encore je pouvais emmener Jolly Prince.

Lady Barton leva les yeux au plafond et attendit quelques secondes. Contrarier ouvertement quelqu'un la fatiguait.

— Cela n'amuse personne de partir tôt, Becky. Moi aussi, je sacrifierai quelques projets. Mais nous ne pouvons cependant pas manquer toute la saison là-bas pour vous permettre de pratiquer ici les sports d'hiver. Je connais des tas de gens qui ne passeront que janvier à Nassau. Quand à votre cheval... allons, parlez comme une fille de votre âge, vous en louez toujours d'excellents chez Norris. Nous disions donc, départ le 26 ou 27 décembre. J'enverrai les malles par bateau, comme d'habitude, avec la cuisinière, Rita et Whitey.

Elle cherchait toujours à assigner quelques

devoirs domestiques à miss White. En vain.

— J'ai besoin de Whitey pour mon mal de l'air, dit froidement Gladys.

— Oui, bon… Alors, nous disions, le 26? Eh bien! Alfred, cela vous convient-il?

— Cela m'est égal. Je ne me rassasie pas de cette vue. Elle est magnifique. Avez-vous regardé le coucher de soleil? Cela vous semble tout naturel d'habiter ici où vous avez vécu presque toute votre vie. À l'automne, il n'est question que de migrations vers le Sud. Au printemps, on parle de croisières. Puisque vous vous inquiétez de mon opinion, ma chère, je vous dirai que je me trouve bien au sommet de cette ville qui m'appartient un peu, que nous sommes un petit nombre à posséder; que mon univers tout entier tient entre la rue Saint-Jacques et ce coin de la montagne; que je ne suis plus curieux des autres gens, des autres lieux si importants, si puissants ou si beaux qu'ils puissent être. Je ne sais pourquoi, si c'est l'air et la couleur de l'automne, si c'est de vous voir tous près de moi, sains et confortables et si insouciants dans vos manières et vos propos, et cela grâce à moi, mais aussi grâce à la ville qui m'a rendu au centuple ce que je lui ai donné…

— Le climat de Nassau vous convient en hiver, Alfred. J'ai peur de ne pas vous comprendre du tout.

— Moi, je le comprends, dit Gladys. Grand-père est un vieux Montréalais, un vieux snob. Il se prend pour un des pères de la cité.

Freddy se tenait en équilibre sur le bras du fauteuil en osier où sa grand-mère était assise. Il se leva en sautant à pieds joints au milieu de la natte.

— Vous me faites périr d'ennui, tous. Je préfère porter ses graines à tante Harriet.

— On voit bien que je ne vous ai pas élevé, remarqua miss White.

— Oh! laissez-le, Whitey, dit lady Barton. Il n'a pas complètement tort. Il raffole de Nassau et est le seul à n'en pas profiter à son aise. Voyons, ce soliloque était bien intempestif, Alfred, et ne règle en rien nos affaires.

— Mais nous partirons quand vous voudrez, Granny, dit Gladys. Et je serai encore photographiée par toutes les revues de mode du continent. On s'écriera, en me voyant : «Encore elle! Encore Gladys Barton. Elle ne se marie donc pas?» C'est terrible d'être une vieille débutante. Qui donc croira que je n'ai que vingt et un ans? Année après année, je règne sur le carnet mondain. Becky a beaucoup de chance de n'être pas une beauté célèbre.

Miss White dit :

— Becky a son charme; pas un charme fatal, mais un charme qui dure.

— Que c'est consolant! fit Becky, sans rire. Ah! Granny, je ne tiens pas autant que Gladys à me marier.

— Les prétendants ne lui manquent pas, Dieu le sait! dit lady Barton.

— Je rêve d'amour, reprit Gladys, comme Becky de chevaux. Un point, c'est tout.

— Si c'est pour marier nos petites-filles que vous passez votre temps à fixer de nouveaux itinéraires, Peg, laissez-moi vous dire qu'elles trouveront des maris aussi bien à Montréal qu'ailleurs.

— Nassau n'est pas un nouvel itinéraire. Et nous n'habitons pas Montréal, Alfred, nous habitons Westmount.

— C'est un quartier, le plus joli sans doute, de Montréal. Dit-on : «Je n'habite pas Londres, j'habite Chelsea?» Vous parlez comme si vous n'aviez jamais quitté ce petit village de l'Ontario où vous êtes née, Peg.

— N'écoutons pas ! s'écria Becky. Les grands enfants vont se battre.

Freddy vint embrasser sa grand-mère.

— Je pars pour vous faire plaisir. C'est méchant de vous taquiner. Vous avez pourtant raison. Nous n'avons rien de commun avec les Montréalais, les indigènes, quoi ! Nous sommes à part et grand-père le sait bien.

Il sortit rapidement. Miss White regardait sir Alfred.

— Peg, savez-vous quelque chose ?

— Non, Alfred.

— Je suis assez orgueilleux de mon sang. De père en fils, nous sommes des constructeurs d'empires. Notre fils, avant sa mort, a eu le temps de faire par lui-même une solide fortune. Pourquoi Freddy se comporte-t-il comme un petit nouveau riche? De plus, il est un cancre en classe et méprisant avec ceux qu'il nomme les indigènes. Cela n'est pas dans la bonne tradition anglaise. J'ai beau avoir été fait chevalier par le roi pour services rendus à la Couronne, je n'en suis pas moins un bourgeois; tout ce que nous sommes, nous autres, nous le devons à notre travail, à notre valeur personnelle.

— Freddy est fier de ce qu'il est, Alfred. Où est le mal?

— Mais il n'est rien du tout, et le mal est d'en être fier. Aussi mettrai-je à exécution le projet qui me trotte en tête depuis un certain temps. L'année prochaine, Peg, il terminera ses études secondaires à l'école de Westmount. Le collège où nous l'avons mis ne lui réussit pas. On semble y inculquer aux garçons un mentalité d'usurpateur. Vouloir s'approprier le mérite de ses ancêtres sans rien faire pour l'égaler, c'est de l'usurpation.

— Vous allez le démocratiser? fit Lady Barton avec ironie. C'est un manque de réalisme.

Elle repoussa son thé.

— Vous entrez bien dans les vues d'Harriet.

Gladys et Becky échangèrent un clin d'oeil. Sir Alfred reporta son regard au-dehors. Le Saint-Laurent devenait bleu foncé à mesure que disparaissait le soleil.

— Il y a des centaines de milliers d'êtres humains qui soutiennent notre maison, dit-il presque à voix basse. Ils soupçonnent à peine notre existence. Ils ne peuvent même pas imaginer notre luxe. À travers cette feuillaison dorée, aux différents étages de la prospérité, ils sont là, tous aussi importants pour moi que moi pour eux tous. Je ne connais d'eux que leur labeur; ils ne savent de moi que mon argent. Et je voudrais que quelque chose de plus direct, de plus humain nous fasse communiquer. Mais quoi? Sans eux tous, je ne verrais pas ce que je vois de ces fenêtres. Et pour cela, je suis leur obligé.

— Qui donc vous mine, sinon Harriet avec sa sentimentalité ridicule, Alfred?

— L'argent n'a jamais fait le bonheur, dit miss White.

— Oh! Whitey, soupira lady Barton. Faites-nous grâce de vos idées absurdes.

— Ce n'est pas l'argent qui a fait mon bonheur, dit sir Alfred. C'est le pouvoir qu'il m'a donné. Encore qu'il soit inexact de parler de bonheur quand il s'agit de passion. La puissance est de plus, je devrais dire surtout, une vocation. Elle doit être mise à l'épreuve comme toute vocation. Je suis bien sévère, ce soir, n'est-ce pas? Je voulais simplement dire, pensant à Freddy, que si mes descendants veulent à leur tour partager ces privilèges qui reposent sur tant de monde, il faudra qu'ils descendent dans la ville et qu'ils aident à porter la montagne, notre maison et les autres maisons comme la nôtre qui ont une semblable vue du fleuve.

Lady Barton ne répondit rien. Elle n'écoutait plus son mari, mais songeait aux vêtements qu'il lui faudrait emporter à Nassau.

Gladys et Becky s'approchèrent des grandes fenêtres en arrondi et, encadrant leur grand-père, le prirent chacune par le bras.

— Il est peut-être en bas, près de l'eau, mon futur mari, dit Gladys.

— Peut-être bien. Et si je le rencontre, je lui dirai de monter par ici, admirer les faisans, dit sir Alfred. Et vous, Becky, lorsque vous aurez sauté à cheval tous les obstacles, que voudrez-vous faire?

— Je ne sais pas... comme Gladys, peut-être. Mais je n'attendrai pas qu'il monte regarder les faisans, je descendrai le chercher, moi, dit-elle.

Sir Alfred sourit.

Les lumières de la ville s'étaient toutes allumées et les ponts scintillants étaient comme des colliers sur la robe noire du fleuve.

SIR ALFRED

— Freddy, dit sir Alfred en se levant de table, allons dans le den.

La tête inclinée sur l'épaule, les omoplates saillantes, le jeune garçon suivit son grand-père. Il faisait claquer les ongles de ses pouces avec ses autres ongles; ce tic agaçait fort sir Alfred qui n'en fit rien voir.

— Asseyez-vous, dit-il.

Il ferma la porte. Il se choisit un cigare dans l'humidor qui était sur son bureau. Pourquoi choisissait-il? Les cigares n'étaient-ils pas tous pareils? Un tic de vieillard, pensa Freddy.

— Vous irez vous inscrire à l'école demain. À neuf heures, s'il vous plaît. Voici une enveloppe contenant un chèque pour les frais, les livres, tout ce qu'il vous faut.

Le coeur en panique, Freddy s'écria:

— Ce n'est pas demain, la rentrée...!

Sir Alfred dit:

— Ne m'interrompez pas. Vous vous inscrirez demain à la Westmount Senior High School. Je me suis entendu avec le principal, un homme d'excellents mérites. J'ai parcouru le programme de l'année : excellent. Vous ne sentirez aucun décalage dans vos études. Tout ira très bien.

— Pardon? dit Freddy. N'avez-vous pas dit l'an prochain? l'an prochain, alors? Pourquoi ne retournerais-je pas à Standish, à mon école, cette année? Vous aviez dit : l'an prochain.

— Après mûres réflexions, j'en ai autrement décidé.

— Mes notes…

Freddy s'affolait, il cherchait les mots, les gestes, ce qu'il fallait dire et faire pour éviter, pour annuler la décision épouvantable qu'avait prise à son égard et à son insu, à l'insu de tous il en était certain, ce vieillard omnipotent.

— Vos notes de fin d'année ne sont pas mauvaises, j'en conviens. Vous n'avez cependant guère étudié. Vos maîtres vous affectionnent. Parmi vos camarades, vous êtes on ne peut mieux considéré. Le principal de Standish, pour me dissuader, a fait valoir vos qualités, et les siennes, en évoquant la compréhension qu'il avait de votre caractère, de vos habitudes et le fait que vous possédiez une personnalité que son école se sentait capable de développer au maximum, selon les antiques et vénérables traditions. On m'a écrit à votre sujet. Vos professeurs… vous ont-ils montré de l'indulgence parce que vous êtes mon petit-fils? Ce ne serait pas invraisemblable. On m'a démontré que vous aviez travaillé ferme durant le dernier trimestre. Votre mémoire,

Freddy, me comble d'envie et d'admiration. Très bien.

— Qu'y a-t-il de très bien? Vous me déracinez, grand-père!

— Il le faut. Car certains faits sont parvenus à mon oreille.

— Certains faits? À propos de moi? Quels faits? Que voulez-vous dire?

— Oh! Il s'agit d'une chose très nuancée. D'une chose subtile. Êtes-vous subtil? Voyons si vous allez comprendre, sentir comme moi l'incongruité de la situation telle que je l'ai entrevue.

— Suis-je concerné par cette situation à laquelle vous faites allusion, demanda Freddy, qui tâchait de ne pas frémir, ne sachant à quoi s'attendre, et ressentant la frayeur des innocents qu'on accuse.

— Indirectement, cela ne fait aucun doute. Le jeune Sanders, dites-moi, n'est-il pas votre camarade depuis neuf ans?

Freddy se détendit un peu et sourit.

— Vrai. Et nous sommes très liés.

— Et toujours, depuis neuf ans, il est premier de classe?

— C'est vrai. Il a un fameux cerveau. De plus, il étudie comme un forçat. Son père le pousse.

— Son père, c'est cela. Un homme puissant. Grosse puissance intellectuelle aussi, puissance énorme de travail. L'un des rares qui n'ait pas volé son bien.

Freddy eut un sursaut.

— Laissez-moi dire comme je pense, fit sir Alfred d'un geste conciliant. Il est, au demeurant, brave homme. Un de mes amis, vous ne l'ignorez pas, bien que beaucoup plus jeune que moi. Nous sommes du même parti. Oui, Saunders père est très attaché lui aussi à nos grandes traditions : celles dont Standish fait état. Orgueilleux à l'extrême, je crois.

Freddy eut un mouvement des épaules et de la tête pour indiquer que l'orgueil de monsieur Saunders ne lui faisait ni chaud ni froid. Et il fit claquer ses ongles.

— En tout cas, dit-il, Flip Saunders est imbattable. Vous n'auriez pas exigé, j'espère que...

— Grand Dieu, non! dit sir Alfred. On ne vous a jamais demandé de conquérir la première place. Il laissa planer un court silence et puis :

— Quoique, si vous aviez étudié comme Flip Saunders, il vous eût été plus facile qu'à un autre de le dépasser. Mais qui donc, dites-moi, prend toujours la seconde place, depuis neuf ans ?

— Un type qui se nomme Collard. Pourquoi ?

— C'est intéressant. Qui est ce Collard ?

— Un bon gars. Un joueur de soccer formidable et le champion de hockey de toutes les écoles secondaires de la province. Un athlète aussi ; mais Chappin est meilleur à la course.

— Son prénom ?

— Le prénom de Collard ? Jean, comme une fille. On ne l'appelle jamais ainsi, pour ne pas le vexer. Quand nous étions tout petits, on le nommait

Frenchy ou bien Pea Soup et il tapait sur tout le monde. Comme il se montrait sportif, on l'a surnommé Johnny. Ça ne lui a pas fait plaisir non plus. Depuis, on dit toujours : Collard ou bien Collie, comme un chien. Et tenez, c'est bizarre, ça ne l'insulte pas.

— Jean, c'est John et ça se prononce... Laissons tomber. Il est canadien-français ?

— Oui, admit Freddy, mais cela ne se voit aucunement.

— Pour vous et vos semblables, dit Sir Alfred (et qui le dit sans ironie), cela plaide en sa faveur, j'en suis sûr.

Il marcha un peu dans cette pièce masculine qu'il nommait son den et qui sentait le bon tabac, le bon cuir des fauteuils, des livres, et la crème à polir le cuivre. On y avait, selon son nez, fait le grand ménage le matin même. Sir Alfred continua :

— Que ne passerait-on pas à un athlète ; pourvu qu'il remporte coupes, médailles et autres trophées à son alma mater, qu'importe qu'il soit bête, noir, voleur ou canadien-français, hein ? Et par rapport à Saunders, sur le plan scolaire ?

— Il le vaut presque.

— Qu'est-ce à dire : presque ?

— Saunders a toujours la plus haute note qu'il soit possible d'obtenir. Collard le suit d'un point, d'un demi-point parfois. Et dans toutes les matières. C'est fantastique, n'est-ce pas ?

Soudain, Freddy avait oublié qu'il était dans le

den en train d'encaisser le coup le plus terrible de son existence. Ses yeux étincelèrent, il rit de toutes ses belles dents et, après s'être donné un coup de poing sur la main, il s'enfonça les deux mains dans les poches et se vautra dans le fauteuil à gros bras arrondis.

— Ah! Par Dieu! Savez-vous bien que nous parions sur eux à la fin de chaque *term*. Qui l'emportera? Lequel battra l'autre? C'est toujours Saunders. Mais moi, grand-père, j'ai toujours gagé sur le Français; il m'a coûté une fortune! Mais c'est plus sportif de parier sur lui, vous ne pensez pas?

— Pour autant que vous jugiez le combat égal, dit sir Alfred. Ainsi vous pariez sur Collard depuis neuf ans et vous perdez chaque fois, est-il vrai?

— Oh! dit Freddy. Vous n'allez pas me dire que c'est un jeu de hasard, et que...

— Surtout pas. Précisez bien que Jean Collard se hisse au second rang de votre classe, depuis huit ou neuf années consécutives.

— Hé, oui! Collard a beau se forcer, et il se force, le pauvre type, ça se voit; mais rien à faire. Au début de chaque année, il le prend assez mal, surtout quand on le taquine à ce sujet. Et puis après, il n'en parle plus.

— Et tout ceci vous semble-t-il normal, Freddy?

— Oui, au fond. Je parie sur Collard, mais je suis bien content que Saunders l'emporte. Je trouve ça normal, oui. Après tout, Saunders...

Sir Alfred écoutait, impassible en apparence,

tirant doucement sur son cigare.

— Et alors? fit Freddy.

— Réfléchissez, dit sir Alfred.

— J'ai réfléchi. Vous avez dit: l'année prochaine pour l'école publique. D'ailleurs, je ne vous avais pas cru.

— Ah? Il faut toujours me croire cependant.

— Enfin, grand-père, j'espérais que vous changeriez d'idée. Cela ne me semblait pas sérieux. Je ne connais personne, moi, dans cette école. Tous mes amis vont à Standish ou bien à Lower Canada ou à Bishop.

— Vous vous ferez de nouveaux amis. Libre à vous de fréquenter vos anciens camarades les jours de congés.

— Vous en parlez à votre aise, grommela Freddy. Vous me changez de milieu sans me consulter, sans me donner une seule raison. Je ne suis plus un enfant. Comment pourrai-je jamais acquérir ce sens des responsabilités et cette indépendance d'esprit dont vous parlez sans cesse, quand on me commande sans me demander mon avis?

— Estimez-vous donc avoir droit à des explications? lui demanda sir Alfred. Moi, à votre âge, j'ai dû subir sans qu'on m'explique. Peut-être n'avez-vous pas tort. Ne parlons pas de mon temps. La mentalité de l'ère qui nous a faits ce que nous sommes a changé, assez brutalement. Je vous donnerai donc une raison. Je crois qu'à l'école publique vous serez plus en mesure d'accorder votre esprit aux réalités quotidiennes. Ces réalités, vous les découvrirez vous-même. Vous ne savez pas encore, Freddy, en quel monde nous vivons et à quelle vitesse évolue la population au milieu de laquelle nous sommes comme des atolls dans l'océan. Comme je savais d'instinct, dans ma jeunesse, miser sur les bonnes valeurs en Bourse, je sens qu'il se passe quelque chose. Le sol, sous mes pieds, n'est plus de roc, mais de sable. Vous ne chausserez pas mes bottes, mon garçon, non parce qu'elles ne vous iraient pas, mais parce qu'elles ne sont pas faites pour les chemins qu'il vous faudra prendre plus tard.

— Quand vous parlez ainsi, dit Freddy, je crois que vous me lisez la Bible.

— Sans doute. Dans un langage plus positif, je vous dirai que la *high school* n'est pas une institution pour enfants privilégiés, dans l'acception accordée à ce mot quand on parle d'écoles privées. Mais ceux qui fréquentent les institutions publiques sont privilégiés, du fait de la haute compétence des maîtres qui y enseignent et de l'esprit démocratique qui y règne. En tout cas, je veux le croire. Il est certain qu'à la Westmount High School un Juif, un Canadien français, un Noir, un Néo-Canadien peut accéder au premier rang s'il le mérite, et passer devant le fils d'un milliardaire d'origine anglo-saxonne, irlandaise ou écossaise. J'en ai la preuve, m'étant renseigné là-dessus, comme j'ai eu la preuve du contraire, pour ce qui est de Standish, étant également très bien informé sur ce rapport.

— Il n'y a guère de Juifs ou de Noirs à mon école, dit Freddy.

— C'est ce que je lui reproche, entre autres choses. Dites maintenant «mon ancienne école» puisque vous n'y retournerez plus. Et remerciez-moi : je vous retire d'une serre chaude. La maison est déjà assez amollissante pour vous. Je vous traite en petit garçon, croyez-vous ? Êtes-vous donc autre chose qu'un petit garçon horriblement gâté au milieu de cinq ou six femmes ? Vous devez dorénavant me donner quelques indices de maturité. Vous devrez démontrer que vous êtes digne d'appartenir à l'élite dirigeante et que vous êtes capable de vous y maintenir.

— Je ne vous comprends pas, je ne comprends toujours pas ! fit le jeune garçon qui semblait chercher une réponse dans le dessin du tapis.

— Dommage. Il ne s'agit plus de comprendre, mais d'obéir.

— Monsieur, dit Freddy, relevant la tête, vous me placez devant un fait accompli. Je sens que rien de ce que je pourrais dire pour défendre ma cause ne sera entendu.

— Excellent ! Soumettez-vous et vous ne le regretterez pas, à la longue.

Très pâle et serrant les poings, Freddy se leva.

— Voulez-vous dire qu'autrement je m'en repentirais ?

— Amèrement, mon garçon, je le crains. Rasseyez-vous. Si quelqu'un défend votre cause ici, c'est moi. Vous serez éduqué selon mes vues ou pas du tout. Et sans éducation, vous ne serez bon qu'aux travaux subalternes, au plus bas de l'échelle sociale.

— De subalterne! Me déshériteriez-vous? Et l'argent de mon père?

— J'ai le pouvoir de vous mettre en tutelle jusqu'à la fin de vos jours. Ne prenez rien pour acquis. Tandis que votre soeur aînée est déjà habilitée à s'administrer et que votre soeur cadette le sera, car elles se sont montrées dociles et studieuses, craignez de devenir un individu à qui l'on remet une maigre pension, comme une pitance, au début de chaque mois, une espèce de parasite tel qu'engendre notre système capitaliste dont c'est là l'un des moindres bobos. J'espère ne pas devoir employer les grands moyens avec vous, et que vous vous efforcerez dès à présent de vous conduire en honnête homme. Vous avez quinze ans, c'est la croisée des chemins.

Des larmes de rage giclaient des yeux de Freddy. Il ne les retenait pas. Ses yeux noirs étaient deux longues fentes brillantes, ses narines, tendues; ses lèvres serrées dur l'une contre l'autre formaient une ligne mince et il crispait et agitait les poings.

Il aurait voulu se jeter sur son grand-père, le forcer à reprendre ses paroles, partir, s'évader de cette maudite maison où personne ne l'aimait, aller quelque part — mais où donc? n'importe où; se débrouiller; d'autres se débrouillaient bien! Faire fortune, devenir plus riche, beaucoup plus riche que ce vieil homme exigeant, se tuer pour le punir, oui, se tuer

pour les punir tous, disparaître afin de bien les inquié-
ter, se cacher pendant longtemps.

Il se voyait malade, mourant, et toute la famille
autour de lui le suppliant de guérir, de reprendre goût
à la vie, lui demandant pardon. Ah! ce vieillard sans
coeur! Que le diable ait sa peau!

— À partir de lundi prochain, reprit sir Alfred,
vous aurez un précepteur. J'ai retenu les services d'un
boursier qui doit néanmoins travailler pour subve-
nir aux besoins élémentaires de la vie: manger, par
exemple. Il a d'excellentes recommandations. Mais,
si vous ne sympathisez pas, alors, on vous en trou-
verait un autre, bien entendu. Dix-neuf ans, futur
biologiste, attendez... son nom, je l'ai ici.

— Ça ne m'intéresse pas! Je ne veux pas de lui!
Un précepteur! Pourquoi pas une nourrice?

— Il s'appelle Hyman Titus Leibkovitz.

— Un Juif! cria Freddy. C'est un comble! Il
eut un ricanement brusque et court qui aurait fait
pleurer sa mère s'il avait eu une mère, comme les
autres.

Et puis sa voix craqua et il demeura une seconde
ou deux bouche bée. Cette avalanche de punitions
qui lui tombait dessus, à propos de rien, c'était tout
bonnement irréel.

— Il vous fera répéter le latin pour commencer. L'une de vos matières faibles, malgré vos efforts
de dernière heure. Cinquante-trois sur cent. Enfin!
Si vraiment le latin n'entre pas, vous serez libre
d'opter pour les sciences.

— Abandonner le latin? Jamais de la vie!

— Le latin? est-il donc si élégant de l'apprendre? Mais vous en déciderez. Le jeune Leibkovitz est peut-être de foi judaïque. Il viendra deux fois par semaine, avant le dîner : le lundi, le jeudi. Vous le recevrez comme le gentilhomme que vous pouvez être, dans vos jours les meilleurs.

— Certainement, dit Freddy, d'une voix persiflante. Je serai même très aimable. Ainsi, c'est parce qu'un gars venu d'on ne sait où, nommé Collard, c'est parce que Collard n'a jamais pu prendre la tête, n'a jamais pu vaincre Saunders, le fils de votre ami, que... que vous me châtiez d'une manière inhumaine? Et vous vous prétendez un homme juste!

— Non, non, je ne châtie pas, je redresse. C'est mon devoir de le faire. J'ai attendu bien tard, Freddy. Je crois qu'il n'est pas trop tard.

— Mais, permettez-moi une question, monsieur. Que pense Granny de toute cette affaire?

— Je n'ai pas consulté votre grand-mère, mon garçon. Vous êtes sous sa direction, si on peut dire, depuis quinze ans. Désormais, vous serez sous la mienne. Nous nous entendrons entre hommes.

Sir Alfred quitta son fauteuil. Il paraissait très grand, plus grand qu'il n'était en réalité tellement il se tenait droit et plus raide que de coutume. Il regarda longuement la photographie de son fils unique, mort à la guerre — une photo qui le représentait en uniforme d'officier de marine —, et qu'il conservait toujours sur sa table de travail.

— Au physique, murmura-t-il, c'est Becky qui lui ressemble. Il avait dans son adolescence une nature assez rebelle, difficile à manier, tout comme la vôtre. Pourtant, j'en ai fait quelqu'un. Il faut que je me souvienne de quelle manière je m'y suis pris.

Et puis, s'adressant à son petit-fils :

— Allez raconter tout ceci à votre grand-mère, si vous voulez. Allez.

Le jeune garçon se précipita sur la porte et l'ouvrit.

— Mais, dit encore sir Alfred, songez bien qu'il est temps, grand temps pour vous de quitter les jupons des femmes. Celui qui montre de la bonne volonté n'a pas de meilleur ami que moi.

Freddy hésita. Sa colère était tombée tout d'un coup sans qu'il sût pourquoi. Il ne pensait pas à sa grand-mère mais à cet homme, si affable d'ordinaire, qui ne l'avait presque jamais grondé, jamais puni, et qui ne lui avait jamais parlé aussi gravement. Il pencha la tête et demeura, la main sur la porte, l'air désemparé.

Le vieillard vint à lui et l'attira sur sa poitrine. Freddy s'abandonna, soupirant par saccades.

— Qu'est-ce que j'ai donc, grand-père ? Comment ai-je pu m'emporter ?... J'ai honte.

— N'ayez pas honte.

— Vous ne devriez pas, vraiment pas, me retirer de mon école. Considérez que j'y suis comme chez moi depuis dix ans. Mais vous avez raison de vous occuper un peu de moi. Soyez sévère, monsieur, j'en ai besoin. Personne ne s'intéresse à moi, vous le savez? Je suis tout seul. Tout le monde se moque de ce que je ressens, de ce qui m'arrive.

— Je sais, dit sir Alfred. Nous allons changer tout cela.

LE PETIT RICHE

Il y avait un petit garçon qui vivait en haut de la rue, dans une belle maison de brique séparée du trottoir par un parterre.

Le petit garçon ne venait jamais jouer avec nous dans la ruelle, dans les cours en arrière des maisons. Il n'allait pas à l'école, ce chanceux-là! Ses parents ne le mettaient pas dehors par tous les temps en lui disant: «Va donc jouer», comme cela se passe chez nous; il faut bien débarrasser le logement!

Mon père est chauffeur pour la grande bâtisse du coin, près du chemin de fer. Il chauffe la fournaise. L'an dernier, il chauffait aussi la belle maison de brique en haut de la rue, dans la montagne. Il m'emmenait avec lui quelquefois. Je l'attendais devant le perron. Le petit garçon regardait par la fenêtre. Moi, je sautais dans la neige sur un pied et puis sur l'autre, pour ne pas geler; lui, il me faisait des grimaces. Les gens de la belle maison ont fait installer le chauffage à l'huile, alors mon père n'y va plus.

De temps en temps, mes amis, Pitou et Ti-Paul et moi, nous faisons une marche après l'école. Nous montons la rue qui est bien longue, passé Dorchester, passé Sainte-Catherine, passé Sherbrooke, plus haut encore, jusqu'à la belle maison du petit riche.

Il est toujours assis sur des coussins de velours, dans la fenêtre du salon, une belle grande fenêtre en rond, avec des rideaux de dentelle; on voit une table où il y a toujours un gros bouquet de fleurs et une cage avec des serins. Le petit riche, quand il nous voit, grimace tout le temps, il nous tire la langue. Parfois la servante ouvre la porte et elle nous crie:

— Allez-vous-en chez vous! Laissez Douglas tranquille, petits galvaudeux, ou bien j'appelle la police.

Alors, nous, on se sauve et puis, au bout de quelques minutes, on revient. À notre tour nous tirons la langue à Douglas, nous nous le montrons du doigt et nous rions de lui comme il faut.

Douglas se met à pleurer, une vraie honte! Il a bien dix ans, je pense, à lui voir l'air. La servante revient pour nous chasser et nous nous sauvons pour de bon.

Si seulement Douglas pouvait sortir, nous lui flanquerions une bonne volée pour lui apprendre à narguer le monde; mais il ne sort jamais. Il reste toujours là, derrière la vitre de son beau salon, avec ses cheveux frisés, ses collets blancs, ses fleurs et puis ses serins.

Un jour, c'est la fête de l'Immaculée-Conception et nous avons congé. Pitou nous dit:

— Ce matin, si on allait voir Douglas? Il a peut-être bien d'autres grimaces à nous montrer?

Ti-Paul et moi n'avons rien d'autre à faire et nous montons la rue tous les trois. Il fait froid, mais bien beau. En arrivant chez Douglas, qu'est-ce qu'on aperçoit? Une grande auto noire, une espèce de camion avec quelque chose d'écrit dessus en anglais: il y a d'autres enfants dans le camion. La porte de la belle maison s'ouvre et voilà Douglas qui paraît, tout enveloppé dans une couverture écossaise et porté par un homme.

La servante nous voit et se met à crier:

— Petits méchants, allez-vous laisser Douglas tranquille une bonne fois? Non, mais voilà-t-y des enfants sans coeur pour venir rire comme ça d'un petit infirme!

Mais Douglas, qui fait semblant de ne pas nous voir, tourne la tête et lui dit:

— Néveurmagne, Laurette.

Ti-Paul, Pitou et moi, nous nous mettons à courir jusqu'en bas de la rue. Rendus presque chez nous, nous nous regardons. Je pense que j'ai l'air aussi bête que Ti-Paul.

Pitou, lui, est fâché.

— Viens jouer au bandit sur les rails, que je lui propose.

— Non, me dit-il. Toi, t'es rien que bon pour faire peur aux filles, et puis aux chats; t'es rien que bon pour rire des petits gars qui ont pas de jambes. Je m'en vas chez nous.

— Eh bien, salut donc!

— Salut!...

Et puis il s'en va pour de vrai. Je l'ai jamais vu fâché de même.

— Viande! fait Ti-Paul.

Moi, je dis rien. J'ai compris bien des choses.

La veille de Noël, je retrouve mes amis au coin de la rue. On n'était pas remontés à la belle maison depuis l'autre fois.

— Allez-vous avoir des étrennes, les gars?

Ti-Paul se tortille un peu.

— Cela fait deux ans que je demande un traîneau au Père Noël. Il ne m'oubliera peut-être pas cette année.

— Moi, dit Pitou, ma tante qui tient restaurant va me donner un sac de classe tout neuf.

— C'est pas des étrennes, ça!

— Je te dis que c'est toute!

— Ne te choque donc pas tout le temps! Écoutez! Moi, j'ai rêvé hier à tout ce que Douglas va recevoir pour Noël: un train électrique, des beaux livres dorés, des paniers de bonbons...

— Ouais, dit Ti-Paul, sans aucune envie. Mais nous autres, les gars, on peut marcher.

Le lendemain, jour de Noël, il vient pas mal de visite chez nous. C'est ennuyeux pour les enfants. Après le dîner, Ti-Paul et Pitou viennent me chercher.

J'ai eu des bottines neuves, Pitou a eu son sac de classe, Ti-Paul n'a rien eu. Comme on ne peut pas jouer avec ça, on décide d'aller voir Douglas, pour voir.

Devant la maison, dans le parterre, il y a un arbre haut comme ça, tout décoré, un arbre qui brille même en plein jour. Des enfants bien habillés, portant tous de beaux cadeaux pour Douglas, entrent dans la maison. Chaque fois que la porte s'ouvre, on entend de la musique.

Il y a une belle fête chez Douglas, mais lui, il est toujours dans un coin de la fenêtre et regarde dehors, avec un air bien triste.

Nous allons dans le parterre et comme la neige est molle et collante, nous faisons un gros bonhomme à côté de l'arbre de Noël. Pitou lui met ses mitaines et sa tuque. Ti-Paul fait le tour du bonhomme de neige en marchant sur les mains, la tête en bas, et moi, je me plante devant la fenêtre et je chante *Adeste, Fideles* que j'ai appris à l'école.

Douglas est toujours là, devant un tas de cadeaux qu'il n'a même pas touchés.

Il nous regarde faire sans nous tirer la langue, et quand nous avons fini de lui montrer toutes nos culbutes, il tape dans ses mains, en éclatant de rire.

PORTRAIT DE MRS. LYNCH

Mrs. Lynch faisait des ménages; elle ne les faisait pas très bien. On semblait pourtant s'attacher à elle. On repassait dans les coins où elle oubliait de nettoyer, on enlevait derrière elle quelques taches qu'elle n'avait pas vues; elle y voyait moins bien de près qu'autrefois, mais par crainte de se vieillir, elle ne portait pas de lunettes. On lui pardonnait ces petites lacunes car partout les enfants l'aimaient, et lorsqu'on devait sortir, la laissant seule dans la maison, on ne mettait nulle part les armoires sous clef, l'argent même pouvait traîner; on était tranquille avec Mrs. Lynch.

Elle arrivait tôt le matin, enserrée dans son manteau comme dans un étui, portant le cabas qui contenait ses vêtements de travail : une robe incolore et des savates. Après s'être changée, elle grignotait deux toasts, buvait un café et puis se mettait à la peine. Elle besognait bruyamment, ayant l'air d'aller vite, l'air affairé, l'air compétent. Elle ne savait laver les planchers qu'à genoux. Elle n'aimait pas s'arrêter pour prendre une minute de repos. «Il faut que ça marche, disait-elle, pour que ça marche! Il faut que je continue; si je m'arrête, ça n'ira plus.»

Offrait-on de l'aider? Ou même, sans s'offrir, prenait-on pour soi une part de la corvée? Elle redoublait aussitôt ses efforts avec une expression de vieil oiseau blessé. Elle disait parfois, sur un ton d'impatience: «Laissez, voyons, j'y arriverai toute seule. J'ai l'habitude.»

Il fallait alors s'occuper d'autre chose.

Mrs. Lynch, au travail, avait un grand plaisir: le nettoyage des tapis. Elle se servait de l'aspirateur comme d'un jouet, le passant et le repassant au même endroit, sans utilité aucune, pour faire durer le jeu. Quand les tapis étaient propres, et un peu moins laineux, elle étendait toutes les descentes de lit, et ronfle l'aspirateur! On eût cru que la machine chantait une musique ensorcelante, que Mrs. Lynch était une petite vieille sorcière au sabbat, dansant au bout du manche à balai électrique, traits détendus et sourire vague. Elle se réservait toujours ce plaisir pour la fin de la journée, comme une sorte de dessert.

Son âge exact, elle l'ignorait. Nous lui donnions entre soixante-cinq et soixante-dix ans bien marqués. Quelqu'un s'occupait pour elle de retracer son extrait de baptême afin de lui obtenir sa pension. Elle parlait de cette pension à venir comme d'un riche héritage. Elle en espérait un grand bien-être. Pourquoi elle ne la recevait pas encore, cela ne me paraissait pas très clair — ne la connaissait-on pas dans son quartier, depuis un quart de siècle? — comme rien n'était clair dans l'histoire de Mrs. Lynch. À la questionner, on en tirait peu de faits précis. Peut-être qu'à vouloir oublier les choses douloureuses, elle avait creusé des trous dans sa mémoire. Son passé ressemblait à une forêt décimée par le feu. Il y restait quelques arbres sans feuillage, noirs et sinistres comme on les voit : les drames de sa vie. Elle mettait de l'orgueil à parler d'une famille opulente qu'elle avait servie longtemps en qualité d'aide-cuisinière; une famille dont les filles, toutes belles, avaient épousé des *Lords*; une maison où les domestiques donnaient à danser dans leur salon à eux, où ils recevaient leurs amis une fois par semaine. Un train de vie pareil, ça n'existait plus, certainement. C'était là, avec son fils, l'un des bons souvenirs qui verdissaient près de la terre, ainsi que des buissons nouveaux dans un bois calciné.

Selon son humeur, la voix de Mrs. Lynch était plus ou moins cassée, gémissante ou aimable, et son humeur tenait à plusieurs circonstances : l'éloignement de son fils — il habitait dans une autre province —, le manque de sommeil, l'insécurité matérielle, pour ne nommer que celles-là. Il faut dire qu'elle ravalait assez bien ses malheurs et qu'on lui trouvait rarement un air triste.

Elle avait des yeux noirs de souris effrayée, des cheveux sans corps, aplatis par un filet, et une toute petite charpente. Elle ne pesait pas cent livres. Après sa journée, s'étant débarbouillée un peu, elle remettait sa robe par-dessus sa combinaison fraîchement blanchie. Elle disait, si j'étais là, dans la cuisine : «Je ne suis pas grosse, hein? Il n'y en a pas beaucoup, hein? Je ne prends pas grand-place, hein?» Je devais en convenir.

Avant de partir, elle ouvrait un poudrier de métal qui avait rendu bien des services avant qu'on ne le lui donne et s'enfarinait le visage. Sa peau n'en était pas cachée pour autant; au contraire, elle n'en était que plus terne sous le masque transparent. Mais c'était un geste brave, un geste digne. Toute la condition des pauvres était dans ce geste: toute la misère des pauvres laids, des pauvres faibles, des pauvres vieux, des pauvres fiers, était, en même temps, recouverte de poudre.

LA DIVINE EUTHYMIE

Depuis son veuvage, Coralie souffrait de camé-
léonite aiguë, avec enflure progressive du sentiment
de désarroi.

Elle ne semblait attacher d'intérêt qu'à son
compte en banque. La maladie de Ben avait coûté
mille dollars; l'enterrement presque aussi cher. La
succession, grevée de dettes, d'hypothèques et
d'impôts que les assurances amortissaient tout juste,
ne lui donnait qu'un infime revenu. Coralie allait
maintenant manger à sa *moitié* faim.

Elle se débarrassa de l'appartement au loyer dispendieux et, n'en trouvant pas à meilleur marché,
loua une petite chambre.

Elle prit la couleur des murs qu'elle longeait le
jour, cherchant du travail. Elle s'identifia de toute
son âme avec sa logeuse, ou du moins s'imagina le
faire, croyant se mettre à sa portée et acquérir une
amie; ce fut inutile. Elle crut à la bonté de ses amis,
mais pas longtemps. Sa parenté paraissait attendre
le moment où elle tomberait dans la rue pour lui porter secours; d'ailleurs, on ne s'était pas tellement fréquenté autrefois.

Coralie entra et sortit de toutes les boutiques de la rue Sainte-Catherine. Elle y avait tant acheté qu'elle saurait bien y vendre. Mais non.

— Êtes-vous expérimentée?

— Oh, guère!

— Mille regrets.

Elle vit ensuite son ancien tailleur où pas une fois en quinze ans elle n'avait marchandé le tissu.

— C'est pour un costume?

— Non pas. Non... mais du travail, peut-être?

Ah! mais les affaires allaient très mal! Partout les affaires allaient toujours de plus en plus mal, affirmaient à Coralie des gens rubiconds, nerveux, l'oeil en hameçon agité devant de possibles clients. Le joaillier, le fourreur, le notaire, le meilleur ami, l'ami d'enfance et même l'ami-perdu-de-vue-qui-vous-doit-tout. Pauvre Coralie! «Et ce revenu?» disait-on. Mais y a-t-il pire pauvre qu'un ancien riche, pauvre moins plaint et pauvre plus ignoré? Le gant qu'on raccommode, la paire de bas qu'on garde comme un lingot... Au premier signe d'usure, guetté par tout le monde, le mot déchéance vient s'accoler à votre nom et les agréables relations d'antan traversent la rue «pour ne pas vous faire honte», se disent-elles.

Et puis, Coralie n'avait plus ses trente ans pleins d'éclat qui, autrefois, ajoutaient au plus beau jour un soleil en surcroît. Partout où l'on se souvenait d'elle, on disait: «Qu'elle était belle!» en soi-même et tout haut: «Allez, Coralie, ça s'arrangera.»

Mais ça ne s'arrangeait pas.

Alors, le hasard lui voulut du bien, du moins le crut-elle quelque temps.

Un jour qu'elle marchait rue Sherbrooke, pataugeant avec cent précautions dans la neige fondante, Coralie rencontra l'âme sœur.

— Comment, c'est vous, Coralie? Il y a des siècles…

— C'est vous, Éliane? Que je suis heureuse!…

On continua de se retrouver devant une tasse de thé, au Ritz. Éliane venait de traverser une crise bien pénible: une dépression nerveuse. Son mari lui avait offert un voyage au Paraguay puis, reconnaissant son droit à l'expression de sa personnalité et son goût pour le commerce, venait de financer pour elle l'installation d'une petite galerie de tableaux et d'objets d'art.

— Rue Mackay, tout près. J'en ai fait un petit coin de Paris délicieux, charmant, vous verrez.

Coralie ne demandait que cela. Éliane et elle ne s'étaient pas revues depuis leur début au bal des Filles de l'Empire; ça faisait… oh! tant d'années; à quoi bon les compter? Elles s'entendaient si bien alors. Quel merveilleux hasard que cette rencontre! Et les liens devaient être renoués, oui, plus solidement que jamais. Coralie s'épancha. Elle se plaignit avec démesure, elle s'abandonna. On ne lui avait pas parlé sur ce ton depuis la mort de Ben. Mon Dieu! que c'était dur, toujours se taire, et la souffrance morale…

— Je sais ce que c'est, dit Éliane. Je suis passée par là. Il faut y être passé pour comprendre.

Elle baissa le ton.

— Or, au milieu des pires tourments, j'ai eu la veine, le bonheur, de trouver le chemin de la Vérité, de la Divine Euthymie. À force d'exercices, nous pouvons y parvenir, tous.

Le regard d'Éliane prit des lueurs d'aurore boréale et tout son être oscilla.

Coralie n'y était plus. Elle écoutait cependant, sans nulle mégarde, attentive à ce qui allait lui être communiqué. On la renseigna vite. Éliane appartenait à l'Intimité, un cercle de Croyants qui se réunissait le lundi soir au Berkeley, sous la direction du Frère Élu, lequel n'était pas toujours le même. Et puis, il y avait les Puissants.

— Les Puissants?

— Ça m'a sauvée, ma petite Coralie! s'écria Éliane. Avant l'Intimité, j'étais comme absente, comme morte à la Vérité de la Vie. Mes cheveux même avaient perdu leur tenue. Maintenant, voyez, je suis gaie, bien en forme; vous viendrez, dites? Promettez-moi de vous laisser révéler à la Vérité et à la Joie. Je serais si contente de faire une adepte! Vous en ferez à votre tour.

— Oui?

— Chaque fois que l'on fait cinq adeptes, on monte d'un degré vers la Divine Euthymie. Je n'y suis pas encore parvenue tout à fait d'ailleurs, je n'ai pas eu le temps de faire cinq adeptes, ni même un seul. Vingt adeptes, c'est une pléthore.

— Ah!

— Trois pléthores font un Frère ou une Soeur. C'est clair?

Loin de là, mais Coralie écoutait.

— On peut aussi remplacer les pléthores par des dons. Le sacrifice remplace le prosélytisme, mais je pense qu'il ne le vaut pas.

— Est-ce une Église, une religion? demanda Coralie.

Éliane de la rassurer: l'Intimité n'allait à l'encontre d'aucun dogme. Elle les embrassait tous. Elle se tenait en dehors de toutes les disputes théologiques pour ne s'occuper que de la Paix Totale, en somme, l'essentiel, et des moyens à prendre pour l'exprimer de son contenu charnel et opaque. Le corps n'est qu'un tombeau, qu'il faut toutefois entretenir dans la propreté et dans la vertu.

— Une sorte de société d'entraide dans un but spirituel, résuma-t-elle.

Voilà ce qu'il fallait à Coralie. Exactement. On prit rendez-vous et on se retrouva le lundi suivant à l'hôtel Berkeley dans un salon retenu par le cercle en question.

La moquette était beige et les murs tiraient sur le crème; les tentures, bleu poudre semées de roses thé. Les lustres semblaient teintés de mauve, de vert pâle, d'azur, il y en avait trop, tandis que, sous les fenêtres où rougissaient presque d'énormes radiateurs, séchaient des plantes de maison. Évidemment, les chaises droites étaient dorées et leurs sièges en velours indigo. Sur la tribune, une table nappée de blanc et sur la table un verre, une carafe, trois bouquins.

Il y avait là une trentaine d'Intimes, assis en demi-lune devant l'estrade où parlait le Frère, un monsieur court et maigrichonnet.

— L'Intimité entre les âmes est notre seul point d'appui sur cette terre d'iniquité. La Communion des Saints a été de tous temps, par toute la terre, reconnue et considérée. Cette première Vérité fut révélée à notre monde occidental par les trois grands manifestes que voici : le livre saint des Hébreux appelé Talmud, la Bible anglicane du roi Jacques et la Bible catholique. Toutes les versions de cette dernière se ressemblent d'une façon troublante et je ne m'étendrai pas plus longuement sur ce sujet.

C'étaient les paroles que l'on disait au début de chaque réunion, pour rassurer les nouveaux catéchumènes, peut-être.

Coralie, assise à côté d'Éliane, examina l'assistance. On avait plus de quarante ans et moins de quatre-vingt-dix, sauf, il se peut, cette petite vieille… Justement, celle-ci se leva.

Elle monta les gradins; le Frère Élu la présenta avant de lui céder la place.

— Soeur MacFuller, qui est devenue Puissante, va vous entretenir de sa Vérité.

La diction était très bonne, la voix plutôt glapissante.

— Il faut croire pour voir et non pas voir pour

croire. J'ai cru. J'ai vu. Maintenant, j'attends chaque jour l'état béatifique, l'impression préalable de l'Éden promis aux Justes, j'entre au coeur même de la Divine Euthymie.

Admiration générale en forme de soupirs. Coralie chuchota :

— Qu'est-ce que c'est, la Divine Euthymie? Une déesse?

Un pétard n'eut pas fait sursauter Éliane plus fort.

— Oh! scandalisée. Nous sommes monothéistes, voyons! La Divine Euthymie, c'est la Paix. Je ne vous l'ai pas expliqué?

Soeur MacFuller glapissait de plus belle, les yeux fixes, les mains croisées sur un buste concave. Elle invoquait la Vérité pour l'édification des Intimes soupirant en sourdine. Cela parut très long à Coralie. Enfin, le Frère Élu («un professeur retraité du nom de Beaupont», souffla Éliane) reprit la direction de l'assemblée.

— Merci à notre Puissante Soeur. Soyons intimes. Unissons nos âmes et nos voeux. Unifions nos prières. Les temps modernes sont aux unions de toutes sortes car l'homme a découvert que ne pas s'unifier, c'est périr, ne pas se rassembler c'est ne ressembler à rien d'humain, ne pas s'assembler c'est se dissocier du genre auquel nous nous sentons glorieux d'appartenir.

Il parlait français comme Soeur MacFuller avait parlé anglais, car le cercle était bilingue.

— Procédons par ordre, chers Intimes. Dans l'Intimité naissent le Soleil et le Calme Divin. Dans l'unité de nos forces croît la Force sublime de la persuasion. Rien, en dehors de nous, ne peut vraiment détruire. Il faut donc faire face aux agents maléfiques. Il faut donc attaquer le mal de l'extérieur afin de garder le bien à l'intérieur. Le sourire désarme la peur. Le sourire unifie les coeurs. Le sourire dissout le mal. Répétez avec moi...

On répéta. Éliane était comme une torche, toute confiance, toute joie, toute aménité. Ses yeux roulant dans leurs orbites exprimaient la plus tendre compassion pour les êtres qui l'entouraient. Elle regardait de gauche à droite et de droite à gauche, et les autres faisaient comme elle; c'était un extraordinaire ballet de têtes. Elle souriait aussi; mais elle avait toujours souri.

— Intimes ! Amis !

Coralie sursauta.

— Soyons amis intimes. Nous voulons l'Intimité de l'âme avec l'Âme Intime. Nous cherchons le sourire du Divin sur les lèvres du prochain. Croire et sustenter sa foi par un sourire constant. Répétez avec moi.

On répétait à qui mieux mieux, ceux qui parlaient français, tout au moins. Les autres souriaient.

Coralie n'avait jamais vu tant de dents. Elle se sentait cernée par des mâchoires entrouvertes, élargies, où craquaient les mots, où ils éclataient comme des noix. Et il faisait chaud. Éliane lui pressait la main, spasmodiquement. À chaque instant, un regard embué frappait le sien avec ferveur. Tous ces gens étaient de braves gens. Ils trouvaient Coralie sympathique. Ils allaient lui venir en aide.

À la fin de la séance, on passa le plateau.

— On donne ce qu'on veut, murmura Éliane.

Coralie mit vingt-cinq cents sur un tas de billets de banque. Éliane lui prit le coude.

— Pauvreté n'est pas vice, lui assura-t-elle d'un air profond. Ce qui compte ici, c'est le sourire de l'Âme Intime.

Et puis elle présenta Coralie aux membres de l'assemblée.

— Oh! la pauvre petite dame, fit l'un.

— Comme on est triste! fit l'autre.

Jamais les Intimes n'avaient vu femme plus morose.

— J'étais comme vous, j'étais comme vous, dit le professeur Beaupont. Ayez confiance en moi. Grâce à l'Intimité, je suis devenu Frère et je deviendrai Puissant sous peu, j'espère.

Mrs. MacFuller lui imposa les mains. Les mains d'une Puissante ont des pouvoirs thérapeutiques.

— Vous irez mieux, déclara-t-elle. À condition de sourire.

Mais Coralie ne savait plus comment.

La semaine suivante, elle monta sur l'estrade, et de là, elle raconta tous ses malheurs : le mari exquis mais dépensier, mort trop tôt, les dettes, les taxes, la vente des derniers bijoux, l'âpreté des revendeurs, l'insouciance de la famille; et les amis qui étaient devenus amnésiques en ce qui la concernait, et le travail impossible à trouver.

Les Intimes hochaient la tête et faisaient:

— Hon! Hon! Hon!

Ils avaient tous souffert. Ils comprenaient tous. Ils étaient ses Intimes.

Le professeur Beaupont lui signifia de reprendre sa place, avec un mouvement plein d'affection, puis il parla. Son tout petit cou flottait dans le grand col de sa chemise. Il dit:

— Notre amie Coralie, madame Vermêt, nouvelle venue, ne peut plus supporter seule les tribulations de l'existence. Nous l'aiderons, il le faut. À chacun de vous, j'assignerai donc certains devoirs. Tous les jours, une pensée pour madame Vermêt. Tous les jours, un sourire en faveur de madame Vermêt.

— Hon! Hon! Hon!

Enfin, on en arriva aux oraisons jaculatoires.

Et parce qu'elle n'avait rien d'autre à faire, Coralie prit l'habitude des lundis et devint de plus en plus Intime. Oui, mais les jours où elle devait choisir entre le sandwich et le cinéma, elle se prenait à douter. C'est que la Divine Euthymie, beau mirage s'il en fût, ne lui enlevait pas la faim ni le cafard. Elle serait morte de rester soir après soir dans cette chambre à tout le monde, où ses malles, debout ou couchées, et la valise, assise sur une chaise telle une étrangère qui va partir bientôt, lui rappelaient son destin.

— Ah, si je le découvrais enfin, ce petit appartement! (Encore fallait-il pouvoir le payer.) Ah!… Si je la trouvais enfin, cette situation à trente dollars par semaine, pas trop, trop fatigante quand même, où l'on attendrait gentiment que je prenne de l'expérience.

Il fallait bien, n'est-ce pas, remplir ces quelque vingt ans qui séparaient sa misère de la pension de vieillesse.

Éliane la grondait en termes affectueux.

— Que vous êtes triste! Vous ne croyez pas assez.

Suivait une tirade sur l'exercice de la volonté, sur les moyens d'arriver à l'Ataraxie, à la Divine…

Et les Intimes renchérissaient.

— Tout ceci, c'est très beau! s'écria un soir Coralie. (Où donc avait-elle ramassé tant d'audace?) Il n'est question ici que de prières, que d'échanges de sourires et de pensées et de paroles. Moi, je veux bien, mais je voudrais aussi des actes.

— *What? What? What?* fit le nouveau Frère Élu, un mister Banglebey, tout aussi fluet que son prédécesseur.

Coralie traduisit et (avait-elle mangé du lion?) poursuivit dans sa langue.

— Je voudrais savoir si vous ne faites pas aussi de bonnes actions. Je suis revenue parce que vous m'avez tous promis de vous occuper de moi. J'ai attendu un mois, deux mois: rien. Vous pensez à moi tous les jours, vous me souriez tous les jours, mais moi, je ne vois rien de tout ça, je ne vous vois que le lundi. Le reste du temps, je l'emploie à chercher du travail, à manger ce que je peux là où c'est pas cher et pas bon, à dormir quand j'ai trop marché et à réfléchir — à quoi? — dans une chambre affreuse; et je m'ennuie, je m'ennuie, sans personne, toute seule, seule à ne pas savoir comment passer ces heures qui s'en vont pour toujours. Est-ce que vous savez combien c'est pesant, la solitude dont on ne veut pas? Le silence d'un million huit cent mille êtres humains, est-ce que vous savez comme il est écrasant? J'ai la tête vide, j'ai le cœur vide... Qui va m'aider?

Jamais Éliane n'en reviendrait de sa vie!

— Voilà toute votre reconnaissance, Coralie? J'ai pensé pour vous, souri pour vous, parlé pour vous. Je me suis occupée de vous comme une sœur, presque comme une Sœur Élue. Après tout ce que j'ai fait pour vous...

— Qu'avez-vous fait pour moi? Je ne demande pas l'aumône. Je ne demande pas qu'on me recueille chez soi; j'ai trop d'orgueil, et ce que je ne puis pas rendre, je ne le prends pas des autres. Je ne veux que travailler honnêtement. Éliane, voulez-vous m'accepter à votre galerie d'art? Je vendrais très bien ces poteries, ces sculptures, toutes ces petites choses que vous avez sur les tables.

— Impossible! (Éliane pensait: «Quel culot!») J'ai une vendeuse déjà, et moi-même... d'ailleurs il faut avoir du métier, mon petit; en avez-vous? On ne s'improvise pas…

Par la force de ce raisonnement, l'inexpérience de Coralie deviendrait chronique.

— Mais vous, Mrs. MacFuller, est-ce que vous ne connaissez pas beaucoup du monde?

— Ma chère, lui dit cette antique dame, veuillez me croire. Vous ne souriez pas assez. Vous manquez de vision, de perspective, vos horizons ne s'étalent pas suffisamment. Vous devez chercher à obtenir une vision plus large de l'Univers, et je crois que, surtout, vous ne savez pas désirer en votre âme le calme absolu.

Les Intimes approuvaient, ronronnaient.

— Hon. Hon.

Mister Banglebey papillota des paupières, s'étira presque hors de son habit.

— Madame Vermêt, chère Intime, ne brisez pas notre chère Intimité. Essayez de comprendre.

— C'est cela, dit Éliane, elle ne comprend pas. Coralie, vous n'avez rien compris. N'avez-vous donc rien compris? Vous ne comprendrez jamais.

Coralie s'en alla, on n'avait même pas encore passé le plateau, se jurant de ne plus revenir. Les hypocrites! Mystiques, solidaires du prochain, eux? De vieilles oies, de vieux jars!

Puis revint lundi. Toute la longue semaine s'était ennuyée Coralie. Dehors, il faisait froid; pourtant ce serait Pâques bientôt. Dans la chambre, les valises avaient toujours un air de départ. Ailleurs dans la maison, la logeuse s'occupait; elle n'aimait pas parler, n'ayant sans doute rien à dire. Alors Coralie songea à la Divine Euthymie. Qu'est-ce que cela pouvait bien être au juste, une euthymie? Tous ces empaillés autour de l'estrade, avec leurs névroses bien repues, leur épouvantable candeur. Hé!... mais n'étaient-ils pas ensemble?

On l'accueillit avec des Hon! effervescents. Coralie souriait, était-ce possible?

— Pour la première fois, notre chère Intime veut bien sourire. Hon! Hon!

— Enfin, elle a compris, dit Éliane, les prunelles révulsées.

— Comment allez-vous?

— Alors, ça va mieux?

Frère Élu Banglebey rappela son monde à l'ordre. Ensuite il dit:

— Madame Vermêt, je vous ai sur ma liste depuis des mois. Je me suis occupé de vous. (Il cligna de l'oeil.) Je m'occupe toujours de vous. Nous vous avons tous sur notre liste des Bonnes Pensées. Est-ce vrai, chers Intimes?...

— Oui. Oui. Hon. Hon.

— ... et nous allons continuer afin que vous gardiez parmi nous cette physionomie bienveillante, présage de ce que nous cherchons tous.

Ils étaient là, une trentaine environ, des êtres humains malgré tout.

Tendues entre ses joues un peu flasques, les lèvres de Coralie tremblaient. Elle exhala son souffle par secousses brèves, elle baissa la tête. Et la séance commença.

D'UNE PRISON

[handwritten: end all different]

[handwritten: start off all the same, →]

Elles étaient trente-six. Elles avaient toutes le dos rond. Elles étudiaient ou faisaient semblant. Entre onze et quatorze ans, maigres, boulottes ou de poids normal, le teint lisse ou boutonneux, les cheveux raides, courts ou longs, crêpés ou ondulés; elles étaient lymphatiques ou sanguines, ou placides, ou nerveuses: résignées ou en rébellion permanente.

Elles portaient l'uniforme serré à la taille par un ceinturon très long; les cols et les poignets blancs n'étaient pas tous très propres.

Deux ou trois *perfections* avaient des chaussures bien cirées, des doigts sans taches. Elles récapitulaient, suivant le mot d'ordre — «Ce soir, mesdemoiselles, vous récapitulerez les huit dernières leçons» — en vue des examens. D'autres, plus brillantes, ayant étudié ce qu'il fallait savoir le lendemain et le sachant pour toujours, pour le reste de l'année tout au moins, lisaient des romans — Delly, Laure Conan — permission obtenue. D'autres encore travaillaient, chacune à sa façon. Ainsi, il y en avait une qui apprenait par coeur en répétant dans sa tête phrase par phrase, les yeux au plafond, et une autre

197

qui articulait silencieusement chaque mot d'un air intense; il y avait celle qui lisait des réponses de catéchisme presqu'à tue-tête...

— Moins fort, Annette Tremblay!

... et celle qui sifflait sa leçon entre ses dents avec des bruits de succion de salive, les yeux fermés dur pour mieux se concentrer.

Claire Ladouceur se curait le nez derrière son *Histoire du Canada*. Sa voisine se rongeait les ongles et crachait les rognures avec un petit claquement de langue. Madeleine Bonenfant, qui n'avait pas jugé le souper assez bon, s'évertuait à penser qu'on apprend mieux à jeun et les glouglous de son estomac témoignaient de sa faim. Pauline les trouvait dégoûtantes. Pour comble, au pupitre devant le sien, écrivait une Irlandaise qui transpirait terriblement dans ses bas.

Pauline n'avait de goût pour rien. Elle était lasse de dessiner des bonshommes dans son cahier de brouillon. Elle avait lu toutes les pages roses du *Petit Larousse*.

Ultima forsan. Je sais déjà le latin. J'en sais assez long pour l'apprendre à la maîtresse. Ah!... Celle-là, devant moi, elle sent donc mauvais! Ça ne change jamais de bas, celle-là. Je m'endors.

C'était l'étude du soir. On réunissait dans la même salle les pensionnaires francophones et anglophones de la même année. Les prières se disaient une semaine en français, l'autre semaine en anglais.

Maudite grammaire emplatante! Elle remit le

livre dans le pupitre où tout était pêle-mêle, et son plumier de bois tomba par terre. Sursaut de la mère surveillante, diversion.

Pauline examina ses doigts pleins d'encre, ses crayons grugés; l'un d'eux avait encore sa gomme. Elle la mit dans sa bouche et la mâchouilla.

— Pauline Rochette!

— Oui, Mère?

— Il est défendu de manger en classe.

— Je ne mange pas.

— Dites: «Merci, Mère.»

— Merci, Mère. *Que je la haïs, celle-là!* La lumière électrique lui brûlait les yeux. *Peut-être que je serai forcée de porter des lunettes. C'est effrayant comme ça enlaidit. Quand j'aurai quinze, non, seize ans, je serai belle… comme maman… je serai loin d'ici… à quoi ça sert d'avoir des diplômes? Ah! j'espère, j'espère…*

Par la fenêtre, on ne voyait rien que la nuit et les arbres sans feuillage comme de grands personnages grimaçants qui semblaient garder au couvent toute sa solitude.

Pauline, non plus que les autres, ne se demandait jamais pourquoi on les avait internées, si c'était juste ou injuste, si des raisons graves motivaient cette réclusion, cet éloignement de leur famille. À ces questions qu'elles ne posaient pas, on répondait tout de même. «Vous êtes privilégiées. Vous êtes d'une classe supérieure: des demoiselles de Villa Maria. Vos parents vous ont confiées à nous pour votre plus grand bien.» Une certaine façon de marcher, de saluer de la tête un monsieur, de la taille une dame, de se tenir au parloir, de n'enlever ses gants de soie noire qu'une fois assise, presque sur le bout de la chaise, le corps droit, un pied plus avancé que l'autre, de parler, jamais trop fort et avec un sourire avenant; tout le comportement extérieur devait refléter l'esprit de Villa Maria. «Vous vivez les plus belles années de votre vie.» Les plus belles, longues à n'en plus finir…

J'ai hâte au printemps. Les examens… je ne sais rien. Faut que je passe, pourtant.

L'horloge sonna huit heures. On marmonna une prière courte et l'étude reprit.

Ultima forsan. Si je disais ça tout haut, personne ne comprendrait. C'est ignorant… ça ne nous apprend rien. Que je m'emplate donc, ici!

Pauline soupirait tant qu'elle en avait mal à la poitrine, comme si elle s'arrachait le coeur à chaque fois, songea-t-elle. Surtout, elle avait un peu mal au ventre. C'était un mal assez nouveau, presque intéressant, régulier, qui la tiraillait et lui donnait envie de se plier en deux. Un bobo de son âge, avait dit le docteur en souriant. Pourquoi est-ce que grandir faisait parfois si mal? Quand ça la prenait trop fort, on l'envoyait à l'infirmerie où la soeur lui donnait à boire des tisanes d'une amertume affreuse et l'obligeait à se coucher. Mais il n'y avait là à lire que les *Bulletins de l'Enfant Jésus* ou bien des revues missionnaires du Grand Nord. Pauline remettait au plus tard possible ses visites à l'infirmerie. Mieux valait souffrir un peu que s'emplater.

Mon Dieu, j'offre ça pour les Âmes du Purgatoire, pour qu'elles me fassent passer mes examens. Ce n'est pas qu'elle avait une dévotion bien fervente pour les âmes du Purgatoire dont un grand nombre hantaient le couvent. On en avait vu à la chapelle et même en classe, où une ancienne élève morte était revenue plusieurs fois faire ses devoirs pour expier des péchés de paresse. Pauline en avait grand peur; lorsque par hasard elle s'aventurait toute seule le soir dans les interminables corridors, elle craignait d'en voir une surgir tout à coup d'une porte ou d'un recoin. Toutes sortes d'histoires couraient sur leur compte. Mais les Âmes étaient fort puissantes et, dans les cas difficiles, elles n'avaient pas leurs pareilles pour vous obtenir des faveurs.

Si j'en fais sortir une, mon Dieu, faites qu'elle ne vienne pas me remercier! Oh! que j'ai mal!

On aurait dit que quelque chose s'ouvrait et se refermait dans son ventre. Elle accrocha ses talons au plus haut barreau de sa chaise et les coudes aux genoux, se gratta le cuir chevelu.

— Mademoiselle Rochette!

— Oui, Mère?

— Un peu de décorum, s'il vous plaît.

— Oui, Mère, merci, Mère.

Le décorum, s'absenter, être indisposée, s'abstenir: un couvent dispendieux pour demoiselles distinguées. *Qu'elle est fatigante, celle-là! On est toujours sur mon dos ici.*

— Moins fort, Annette Tremblay !

Les problèmes d'arithmétique étaient posés à la craie sur les tableaux. De temps à autre, Pauline cherchait à les lire en clignant des yeux. Les signes blancs se rapetissaient et demeuraient pour elle illisibles. Au fond de la salle se déroulait une carte de géographie. De sa place, Pauline ne voyait que des plans de couleurs, presque fondus en un seul, entourés de bleu pâle : l'eau. *Quand je serai grande, j'irai sur l'océan. Si j'étais garçon, je me ferais matelot. J'irais partout, j'irais voir le lac Titicaca, c'est épouvantable, un nom comme ça, j'irais voir les Pyramides et puis en Chine, tous les petits Chinois que j'ai achetés. Si je me fais soeur, je me ferai missionnaire pour avoir soin des petits nègres, ils sont drôles. Plus tard, je rencontrerai des matelots, un grand blond comme mon cousin Émile... on ne voit jamais de garçons ici, sauf l'enfant de choeur... Pauvre petit chou, ça fait pitié de voir cette petite affaire-là servir la messe de bonne heure comme ça ! Monsieur l'Aumônier est vieux... Personne ne m'aime ici... sauf exception... sauf... moi, j'aime Claire, elle est malpropre, toujours dans son nez, pouache ! Au moins, elle ne me dit pas de bêtises... J'aime Gabrielle, elle est fine même si c'est la chouchoute de la soeur... chez les grandes, j'aime Aurore, c'est mon crush. J'aime mère Saint-François-Xavier, elle me comprend, elle, au moins, elle me donne mes plus belles images et puis j'aime...*

Pauline renifla. Elle s'ennuyait de sa mère. Elle avait mal; le mal n'arrêtait pas. La religieuse descendit de sa tribune. Roulant son rosaire dans ses doigts, elle se promena entre les pupitres. Quelques livres glissèrent rapidement sous des cahiers, sous des jupes. On devint tout à son affaire. On s'absorba et, hormis les *perfections* toujours sûres d'elles-mêmes, on s'empêcha presque de souffler.

— Qu'est-ce que vous étudiez, ma fille?

Pauline se raidit. Qu'étudiait-elle, en effet? Elle désigna son *Petit Larousse*.

— On ne vous fera pas passer d'examen sur le dictionnaire, ma fille; si vous doublez votre année, je demanderai qu'on m'envoie au Japon. Je n'ai jamais rencontré une élève aussi impossible, et ça fait vingt ans que j'enseigne.

Les autres pouffaient de rire.

— Ne riez pas, mesdemoiselles! Il en est parmi vous de plus hypocrites que Pauline Rochette mais tout aussi coupables, et je les connais.

On se tut. Pauline fouilla dans son sac à voile et, n'y trouvant pas de mouchoir parmi les objets cliquetants: étui à chapelet, bonbons clairs, osselets, médailles, peigne, taille-crayon, s'essuya les yeux dans un coin de son voile noir déjà assez maculé. Lorsque, prise en défaut, elle n'était pas trop grondée, elle sentait le besoin de se punir elle-même en pleurant. Mais cette fois-ci, peut-être pleurait-elle de soulagement après avoir eu si peur; c'est que les mauvaises notes s'attrapaient ordinairement à coup de dix ou de vingt à la fois; cent mauvaises notes et on perdait le droit de porter l'insigne de bonne conduite appelé «distinction», le dimanche; et chaque «distinction» perdue signifiait deux heures de retenue au congé du mois. Pauline se dit que la maîtresse n'était pas si bête que ça. Elle se serait, pour un peu, jetée à ses genoux de reconnaissance. Puis, elle attribua sa veine à l'intervention directe des âmes du Purgatoire. En plus, ses douleurs s'atténuaient à moins y penser.

Lorsque la religieuse remonta à sa place, la petite Fabiola s'endormit dans son *Histoire*. Ça n'en finissait plus. Les petites filles expiraient bruyamment, s'appuyaient sur une fesse et puis sur l'autre, s'étiraient, se redressaient, s'envoyaient la tête en arrière pour reposer leur cou, s'affaissaient, les bras étalés dans leurs paperasses. Elles étaient toutes pareillement fatiguées à la fin de chaque jour, qui commençait à six heures moins le quart et se terminait dans leur lit à neuf heures et demie, après un lavage de chat et une prière. La grande Rose recopiait une analyse; son ardeur étonnait Pauline. Rose fronçait les sourcils, sortait la langue, traçait des lignes avec une énorme règle, donnait des coups de buvard à ébranler les murs…

— Annette Tremblay!

… mettait de l'encre dans son stylo, grattait, effaçait, soulignait. Les points de ses i, les barres de ses t se voyaient de loin.

Au bout de cinq minutes, Pauline se désintéressa.

Oh! Ça m'emplate. Celle-là avec son zèle... je voudrais avoir des ailes pour sortir d'ici. Je ne peux même pas me sauver... non... on me mettrait à l'École de Réforme où les enfants mangent la volée tous les jours. Quand j'aurai treize ans, maman me donnera une belle robe de velours rouge pour ma fête. Quand je serai grande... j'ai encore mal, moins mal... oh! maman! Tout le monde me haït ici... quand je serai grande...

Elle tourna les yeux vers les fenêtres toutes noires de nuit. Dehors, il ventait...

J'aurai des cavaliers. Ils viendront me chercher en auto. Elles seront toutes jalouses... J'aurai...

L'horloge sonna la demie. La religieuse empila sur un coin de son pupitre les cahiers de devoirs qu'elle venait de corriger. Quand elle releva la tête pour signifier la fin de l'étude, elle manqua perdre patience.

Pauline s'était enroulé des élastiques autour des doigts et y avait fixé ses nombreux bouts de crayon. Puis, bâillant, elle mit devant sa bouche ses deux mains monstrueuses comme des pattes de ptérodactyles tandis que ses compagnes détendues et fascinées la regardaient faire.

L'ÉCOEURANT

Chriss..........!

C'est le blasphème le plus court à émettre. Il roule sur la langue de Simon comme un crachat. C'est un blasphème pour qui l'entend, pas pour celui qui le prononce.

Chriss, pour Simon, c'est à la fois un être, une forme vague, sombre, un lieu, une manière de sentir, une sorte de plafond qui l'empêche de lever la tête; quelque chose d'épuisant, d'impénétrable, d'inaccessible, de trop fort, de trop haut et de destructeur; la somme de toutes les pesanteurs humaines; une angoisse qu'il ne peut secouer; le mal au-dedans de lui-même comme au-dehors.

Simon sait qu'il peut crier Chriss! impunément, c'est-à-dire qu'on ne le tuera pas pour ça. On lui a fait tout subir, sauf la mort, pour bien moins, pour rien, parce qu'il existe. Depuis l'âge de six ans, il sait qu'il n'a pas raison de vivre, qu'il vit absolument sans en avoir le droit, en dépit de tout bon sens. La vie qu'il mène corrobore le scandale de sa naissance, l'interprète, le ratifie en même temps qu'elle l'annule presque, aux yeux de la société qui se rassure toujours quand un voyou est un bâtard et s'affole quand un voyou est de bonne lignée.

Simon n'a que des souvenirs embués de sa première enfance : larmes, solitude, bouillies, soleil, jouets épars dont pas un seul n'est vraiment à lui, petits lits tous semblables, visages nouveaux, appels : «Maman! Papa!» Des mamans et des papas possibles, improbables, jamais pour lui; et le plafond blanc, blanc, blanc. Et puis un jour, la noirceur des hommes en robes noires, leurs grosses voix : «Marchez en rang! Courez! Jouez! Priez! Lisez! Dormez! Marchez en rang!» Les Chriss de Frères! Étaient-ils bons? Méchants? Ni assez bons ni assez méchants pour donner envie de vivre ou de mourir.

Aujourd'hui, Simon ne songe pas à cela. Il est ivre, malade. Il monte le long, l'interminable escalier. Ses pieds glissent sur le linoléum usé qui le recouvre. La boucle de sa ceinture s'est arrachée; il retient son pantalon d'une main. Au seuil de la taverne, il n'a pas tout vomi; il sent qu'il doit rendre encore des comptes. Ça urge. Il se guide un peu de l'autre main, tâtant le mur car il voit mal. Il s'est battu et ne sait trop ce qui lui obscurcit la vue : de l'eau — tombée d'où? — de la sueur ou du sang. Un bruit de soufflet de forge lui emplit les oreilles. C'est son propre souffle. Il respire la bouche ouverte. Il râle plutôt.

— Ferme ta gueule!

Mais Simon ne s'obéit pas. Il se pousse à monter l'escalier : une marche, une marche, une autre marche. Vite, en haut, la chambre; non, avant tout, d'abord les cabinets, vite!

Le voici au palier. La porte est ouverte. Il entre, pivote, va vers le cagibi, s'agenouille et, les mains agrippées à la cuvette puante, vomit encore et encore et encore. C'est comme si le monde prenait fin. Il n'y avait qu'une signification à la vie: vomir. Rien d'autre n'avait de réalité, de sens.

Maintenant quelque chose de vaste et de tumultueux s'est tu et ne recommencera jamais plus d'exister. Simon gagne sa chambre, une cellule sans fenêtre qui ne vaut pas vingt-cinq sous par jour. Quoique pas beaucoup moins vieux, moins sale, c'est mieux qu'une prison puisqu'on en sort quand on veut.

Simon s'étend à plat ventre et laisse pendre un bras hors du lit. Il respire de plus en plus profondément. Il s'apaise. Rien n'est mort, simplement tout s'est terminé. Quoi? Simon ne sait pas mais il sent ainsi. Il ne pourrait pas dire pourquoi. Il ne comprend d'ailleurs pas de quoi il s'agit. Il n'est pas dans un état propice à la réflexion et le serait-il, qu'il ne saurait pas comment ordonner ses pensées. Il rêvasse, il éprouve une sensation imprécise, une sorte d'envie qu'il ne peut certes pas exprimer. Il s'agit donc un peu de lui, oui, plus justement d'un mode, d'une façon d'être…

Lui? Qu'est-ce que lui? Peut-être qu'un jour quelqu'un, quelque part consentira à l'entendre et à lui expliquer. Ce sera un homme, un vieillard propre avec des yeux de chat — les yeux des chats sont ce que Simon trouve de plus… de plus quoi ? — et une voix basse. Il fera signe à Simon, il lui fera signe de s'approcher. Simon ne lui fera pas peur parce qu'il ne fera pas peur à Simon. Il lui permettra de s'asseoir en face de lui. Simon aura un habit neuf que personne avant lui n'aura porté, et même, qu'on aura acheté pour lui, exprès. Simon lui tendra la main, une main nette que le vieux ne craindra pas de serrer dans les siennes. Il lui dira : «Je sais que tu t'appelles Simon. Je te connais.» Et ce sera bien vrai. Simon, pour la première fois, se sentira connu. Il ôtera son chapeau, car il aura un chapeau comme les autres. Il le déposera sur ses genoux. Il sortira un mouchoir et se mouchera dedans. Le vieux secouera la tête d'un air approbateur. Et puis il commencera à parler, à dire les mots intéressants que les autres semblent se dire et comprendre et que Simon n'aura jamais entendus auparavant.

Simon s'étale sur le lit. Il essaie d'imaginer les paroles du vieillard. «Tu t'appelles Simon. Je te connais.» Oui, c'est cela. Et après, que dit-il encore ? Simon veut l'aider.

— Pourquoi que j'suis dans c'te maudite vie ?

Cette question ne sera pas nécessaire. Simon a trop de peine à penser et le vieillard le soulagera en répondant d'avance à tout. Mais que répond-il au juste ?

Boire, se débattre, être battu, voler, se sauver, être pris, enfermé, être jeté dehors, vomir, sacrer, faire l'animal avec d'autres animaux comme lui, s'écoeurer, cela n'est rien. Le pire, ce qui n'est pas endurable, c'est d'écoeurer les autres.

— Je suis écoeurant depuis l'âge de six ans, monsieur, dira Simon au vieillard.

— Bien entendu, mon ami. Mais avant? à l'orphelinat? à la crèche?

— Je suis écoeurant de naissance, moi, monsieur.

Le vieillard disparaîtra alors, avec ses yeux de chat qui sont ce que Simon trouve de plus... de plus doux au monde. Il s'endort. Un bras autour de l'oreiller, comme si l'oreiller blotti près de son cou, c'était quelqu'un. Le souvenir de ce qu'il est s'estompe. Il n'a plus de mémoire. La nuit, encore une fois, va l'abrier de sa tendresse.

LA MÈRE ET LA FILLE

La mère pensa : « Ça ne sert à rien. J'peux plus la voir. » Mais elle ouvrit pourtant la porte et Marielle lui apparut avec sa lippe, sa tête penchée, ses yeux méfiants levés vers elle.

— Entre, d'abord.

La mère fit un geste large en direction de la cuisine.

— J'ai pas fini de faire souper le p'tit. Vas-tu manger de la soupe avec moi ? Y a du macaroni, des fèves... Assis-toi en attendant.

Marielle ôta son foulard de tête et son manteau ; elle avait posé un gros paquet sur la table, au milieu de la pièce qui servait à la fois d'entrée, de salon et de passage entre les chambres et la cuisine. Elle regarda autour d'elle et dit :

— Tiens, les murs sont jaunes !

Le petit garçon, qui l'entendit, s'écria :

— Dans la cuisine, c'est tout vert. Viens voir !

La mère s'excusa :

— J'ai pas fini le plafond. Je prends ça aisé. Mes reins vont pas pantoute. Au milieu, j'ai mis ça en jaune parce qu'avant c'était bien noir. C'est plus clair, astheure.

Sa fille ne lui répondit rien. Elle s'assit sur une des chaises en bois peint et alluma une cigarette. Elle détourna son regard du petit garçon qui lui souriait. Elle sembla s'intéresser aux tuyaux qui longeaient la plinthe en partant de l'évier, et au vieux linoléum qui ne couvrait pas tout le plancher de la pièce. La mère resta silencieuse, mais, sans quitter Marielle des yeux, apporta au petit du blanc-manger et de la confiture. Son anxiété faisait frémir sa bouche mince d'où rayonnaient maintes fines rides et lui donnait, aux sourcils, ce pli permanent.

L'enfant mangea, posant des questions auxquelles la mère répondait laconiquement; puis, ayant fini, il se leva de table et alla s'asseoir sur un coussin par terre, devant la télévision. Un chaton qui dormait dans une boîte à chaussures s'éveilla, s'étira et vint se frotter à lui.

— Un chat! fit Marielle. Ça fait une personne de plus dans la maison. C'est lui qui prend ma place?

— Personne ne prendra jamais ta place ici, dit la mère. Je trouve pas les moyens de te forcer à revenir, mais j'attends quand même.

— Attends pas, tu vas attendre trop longtemps.

— Tant que t'auras pas fini de ruiner ta vie?

— Ma vie, c'est ma vie, hein? C'est ma vie à moi! La tienne, je t'ai pas empêchée de la ruiner. Est-ce qu'il y a eu quelqu'un pour te retenir?

— Ce qui m'est arrivé, c'était pas de ma faute. Toi, tu sais que tu fais mal et tu fais mal pareil.

Marielle secoua les épaules et la tête, comme pour secouer de sa conscience les justes reproches de sa mère et alluma une autre cigarette. Elle décroisa ses longues jambes un peu trop minces, s'étira, fit quelques pas dans la cuisine, et sur sa taille un peu trop fine resserra sa ceinture. Elle approcha son visage du miroir qui faisait pendant au calendrier, la fenêtre étant au milieu, et fit gonfler ses boucles châtaines.

— T'es blême, dit la mère.

— J'ai été malade, malade toute la sainte semaine. J'ai laissé ma job.

— C'est bon; viens te coucher.

— À sept heures? Y a pas de saint danger. Je sais pas si je vas passer la nuit ici.

— Ah? C'est bon; viens manger.

— J'ai pas faim. C'est dans l'estomac que ça bloque.

La mère étala ses mains sur son ventre, par-dessus son tablier, comme pour les essuyer, ces mains-là, sur le tablier, mais c'était plutôt un geste instinctif, un geste qu'elle n'aurait su analyser ni comprendre, qui signifiait peut-être que les enfants ne sont en sécurité que dans le ventre de leur mère et que, quand on les sent, quand on les voit souffrir, on voudrait qu'ils soient encore entourés de sa chair et que le mal nous tue avant de les blesser. Elle retira la casserole du poêle où la soupe chauffait doucement et servit.

— J'avais un bon morceau de boeuf, expliqua-t-elle. Il y a rien de plus fort que ce bouillon-là. C'est plus fortifiant que n'importe quel tonique.

Marielle s'attabla, prit du bouillon, en reprit une seconde fois. La mère sentait son coeur battre dans sa gorge; elle s'affairait près du four, en ferma la clef, en sortit le plat de pâtes au fromage; c'étaient des larmes et non de la vapeur qui lui embrouillaient la vue.

Sa petite mangeait comme si elle n'avait pas mangé depuis un mois et, en effet, il y avait presque un mois qu'elle n'avait pris de repas à la maison.

— Où c'est que tu manges, d'habitude? lui demanda-t-elle pour regretter aussitôt sa question.

— Au restaurant. Quand il pleut, le soir, on se fait apporter du café et des sandwichs par le p'tit gars de la logeuse.

— Ton lit est fait propre. Ça dérange pas pan-toute si tu restes ici à soir, dit la mère, pour changer de sujet.

— On verra ça, dit Marielle.

Elle mangea de tout, presque en silence, et but une tasse de thé faible, pour finir, avec son dessert. Elle alluma une troisième cigarette et en offrit une à sa mère, qui l'accepta.

— Je vas digérer, dit Marielle, et dans une quinzaine de minutes, je ferai ta vaisselle.

— Qu'est-ce qu'il y a dans le gros paquet? cria l'enfant.

— Quel gros paquet? dit la mère.

— Le gros paquet que Marielle a apporté et

qu'elle a mis là sur la table?

— C'est rien, c'est du linge pour laver.

— T'as bien fait, dit la mère. Je lave justement demain matin, et j'avais pas grand-chose. Pierrot salit pas beaucoup, ni moi non plus...

Marielle écrasa son bout de cigarette dans le cendrier et ceignit un tablier de plastique avant de remplir l'évier d'eau chaude. Elle était vive; en un tour de main toute la vaisselle du souper baignait dans l'eau savonneuse.

La mère se redressa; une sorte de poids de plomb se soulevait peu à peu de sa poitrine, son front devenait plus lisse. Elle rangea les aliments dans la glacière et puis alla ouvrir le paquet qui était sur la table, dans la pièce du milieu.

— Qu'est-ce que c'est que ça? dit-elle soudain, la voix changée.

Marielle se retourna brusquement, les yeux jetant des éclairs.

— Quoi!

— Ça... ces affaires-là...

La mère tenait d'une main un caleçon, de l'autre une chemise à col mou.

— Tes affaires à toi, dit-elle en tremblant, ton linge, c'est correct. Je peux le laver, c'est correct.

Elle s'avançait vers sa fille. Et, la voix incertaine...

— Ton linge, ma fille, mais pas le sien.

— Le sien..., dit Marielle en élevant la voix.

— Non, ma fille. Ton linge sale à toi, je le laverai tant que tu voudras. Mais son linge à lui, non, non.

— Si tu l'acceptes pas, lui, tu m'acceptes pas, moi. Je vas pas sans lui. C'est compris? Ou bien si c'est toujours à recommencer?

Elle prit encore une cigarette et cassa deux allumettes avant de pouvoir allumer, tellement ses gestes étaient fébriles.

— Tu viens bien me voir sans lui, dit la mère. Tu sais bien sur qui tu peux compter quand t'as rien dans le ventre. Tu est bien venue ici à soir, sans lui!

— Il est à Sorel depuis hier, pour une job. Il revient demain ou après-demain.

— Je te donne une chance, Marielle. Je te donne une chance de le lâcher pendant qu'il est temps. Si je vois que tu veux pas, je suis capable de le faire arrêter encore une fois.

— Et puis? Qu'est-ce que ça t'a donné, la première fois? Il a payé vingt-cinq piastres, c'est tout.

— C'est toi qui les a payées, les vingt-cinq piastres, ma petite gueuse! T'étais jamais capable de me payer pension, mais pour ton chum, ton salaire était pas assez gros.

— Il est obligé d'en donner assez à sa femme qu'il lui reste rien pour lui.

— Si t'es mal prise, ma fille, si tu as du trouble comme je t'en souhaite pas, tu viendras pas brailler ici, parce que tu trouveras la porte fermée dur.

— Je viens jamais pour brailler.

Marielle attacha son foulard sur sa tête, lentement, en ayant soin de ne pas déranger ses bouclettes.

La mère tournait et retournait la chemise d'homme entre ses mains.

— Je voulais pas te chicaner; j'en aurais pas parlé pantoute si… T'as dix-huit ans, je peux rien sur toi. Mais t'es trop jeune pour faire cette expérience-là. Tu te donnes pas de chance pantoute. S'il était pas marié…

— Il va divorcer.

— Trois enfants, on divorce pas les enfants. Toi, t'as rien que dix-huit ans…

Marielle retira son foulard et le plia sur son manteau.

— Je vas coucher Pierrot à soir, dit-elle, radoucie. Ça fait longtemps qu'on a pas joué, le p'tit et moi.

La mère prit le linge à pleins bras et s'en fut le porter dans la vieille machine à laver.

— Veux-tu bien me dire, demanda-t-elle à sa fille, beaucoup plus tard dans la soirée, veux-tu bien me dire ce que tu lui trouves? Il est pas bien beau, et pas bien grand, et pas bien fin dans son travail…

Marielle sourit et envoya une grande bouffée de fumée vers le plafond à demi peint.

— Tu sais, maman, quand Pierrot veut quelque chose et qu'il demande avec ses yeux? Tu sais comme il fait des petits yeux? Bien, lui, il me regarde comme ça. Je peux pas dire non. Il fait pitié comme Pierrot. Il fait pitié, c'est effrayant, maman. Je peux pas m'en empêcher.

La mère hocha la tête d'un air compréhensif; elle n'aurait rien su répondre. Son regard s'égarait sur les choses familières pour revenir ensuite se poser sur sa fille, sans insister, sur sa fille qui était là, ce soir, près d'elle, presque dans son giron, et qui lui parlait sans haine.

LES CONSPIRATEURS

La porte s'ouvre et un homme s'engouffre dans l'escalier de bois qui craque, en levant haut les genoux. En bas, il frappe les bottes d'hiver qui recouvrent ses chaussures et les envoie deux ou trois fois contre le mur pour en faire tomber les croûtes de neige. Il se dépouille énergiquement de son manteau de gros tweed à col de mouton brun, ôte son foulard, ses gants et son bonnet de caracul, et fourre tout ça dans les poches du manteau qu'il a pendu à un gros champignon.

— Le courant d'air, l'ami, le courant d'air! lui crie quelqu'un.

L'arrivant regrimpe l'escalier, tire bien la porte et redescend, sautant des marches. En quatre enjambées, il se transporte jusqu'à une table où quatre personnes du sexe mâle sont assises. Il prend place parmi eux. Ce sont des hommes entre vingt-sept et trente-sept ans. Ils travaillent tous à gagner leur vie et ils étudient tous aussi quelque chose dans leurs loisirs.

Celui qui vient de s'asseoir en passant d'abord une jambe par-dessus la chaise est même un professeur, mais pas à plein temps. Il est chargé de cours d'économie politique qu'il donne, certains soirs, à ce qu'on nomme l'Extension de l'Université de Montréal. Il passerait son existence à jouer au soccer et à escalader des pics, n'étaient les contingences.

— Patriotes! dit-il, ça y est. Tout est paré: ça sera jeudi. Mes gars sont alignés pour l'offensive. Garreau, vous ne le connaissez pas… si? Bon, enfin Garreau, c'est un type sûr. Un Laurentien de la première heure. Garreau, dis-je, en a réuni une dizaine de droit, troisième année. En médecine, il y a aussi un remous favorable. Donc, à onze heures moins le quart précises, la troupe…

Celui qui parle s'arrête, vide le verre d'un de ses amis.

— Merci pour la bière, Jigé. C'était bien ton verre? Merci. Donc, à l'heure zéro, la troupe se disperse, elle se répand, s'infiltre, s'immisce, bref, envahit les centres nerveux de l'Université. C'est une traînée de poudre qui flambe et donne le signal de la grande rébellion. Le jour des affranchis s'est levé. Moi chez le recteur, Poliquin chez l'aumônier, Garreau et les autres partout ailleurs; nous surgissons et, calmement, car notre voix doit donner l'impression d'un calme monolithique sinon désarmant, nous déclarons que Dieu n'existe pas!

Il a crié ces quelques derniers mots et tourne la tête de tous les côtés pour voir si on va protester. Mais ceux des autres tables qui ont des verres, ou des femmes, ou des dominos, s'occupent, ne lui prêtent pas attention. Il reprend d'un ton plus posé.

— *Dieu n'existe pas*. Nous entendez-vous ? C'est ce que nous allons proclamer dans tous les corridors, amphithéâtres, vestiaires et cabinets de l'Université catholique de Montréal dont la charte est romaine. *Dieu n'existe pas* dans toutes les facultés et chez le recteur en personne.

— Tu crois qu'il n'est pas au courant ? lui demande alors Philéas Beauregard. Que Dieu n'existe pas, veux-je dire.

— Non.

— Tu n'as pas trouvé mieux ?

— Non. Il faut casser les vitres tandis que le verre est chaud, comme dit une amie, une brave petite.

Philéas Beauregard a l'habitude de mettre les points sur les i. D'abord parce qu'il a six enfants dont il s'occupe, ensuite parce qu'il est organisateur syndical : il énonce et démontre à longueur de journée ; de plus, c'est un normalien. Il explique l'inutilité de la cabale, sa faiblesse, son échec certain au point de vue intellectuel.

— Laissons ces frasques aux étudiants qui ont envie de changer d'air, c'est-à-dire d'université. Les accointances laurentiennes de Garreau ne répondent pas de sa loyauté. Tout le monde sait que le mouvement séparatiste est complètement pourri dans son coeur même et que, dans chaque Laurentien qui se dit prêt à revendiquer auprès des Nations unies l'indépendance des Canadiens français, se dissimule un néo-fasciste, raciste par essence et sicaire de tempérament.

Voilà ce que dit Philéas.

Jérémie Pélissier n'a qu'une question :

— Qui c'est, Poliquin ?

— Technicien en bactériologie.

— Je le connais, dit Jean-Gabriel Duquette.

À côté de Jérémie Pélissier qui a un teint de boîte de nuit, des yeux cernés et très mobiles, de Philéas Beauregard, très posé toujours, de Jean-Loup Reider sportif, alerte et claironnant, d'Ivanovski le Magnifique, Jean-Gabriel Duquette est un jeunet minuscule, tout blond avec une barbiche, des yeux bleus et une bouche en coeur. Mais il sait où mettre les pieds et le soin qu'il apporte à toute chose fera sa fortune.

Jean-Gabriel a le bien des étudiants à coeur.

— S'ils ne sont pas capables d'affirmer tout seuls que Dieu n'existe pas, en leur âme et conscience et dans la placidité de leur for intérieur, pourquoi pousser dessus ? Ils se démerderont. Il ne s'agit jamais d'empêcher les croyants de croire. Il s'agit de rendre possible aux incroyants le témoignage public de leur incroyance. C'est une question de liberté fondamentale et tu en fais une farce à jouer au recteur.

Philéas Beauregard a des sourcils très noirs, fournis, embroussaillés, des cheveux frisés fréquemment aplatis au peigne et à l'eau. Il a le nez aquilin, le teint mat, une forte moustache et des yeux verts, verts comment ? Oh, vert-vert, disons, derrière des lunettes à monture de plastique foncé. Son regard insistant de même qu'une articulation volontaire lui donnent énormément d'ascendant sur les autres. Il nasille d'une voix crispée dont le ton monte dans la discussion. Il fume la pipe. Après avoir parlé, il la retire parfois de sa bouche et l'examine comme avec intérêt.

Jean-Loup Reider pousse un gros soupir. Il considère ses camarades sans rancoeur.

— Bref, vous êtes contre mon idée?

— À l'unanimité, oui, parfaitement, dit Philéas. Mais passons au vote, car nous sommes en démocratie.

Aussitôt quatre pouces s'inclinent vers la table.

— C'est malheureux, dit Jérémie. Tu avais monté une affaire assez…

— Je suis un organisateur de première force, j'ai des trucs drôles là-dedans, dit Jean-Loup en se frappant le front. Mais à quoi bon? Vous êtes tous en gélatine…

Les cinq hommes jeunes installés devant quatre verres et quatre bouteilles de bière maintenant vides, trois assiettes en guise de cendriers, un tas d'allumettes de cuisine et trois paquets de cigarettes, ces cinq hommes composent le comité exécutif de la L.A.C.F. Ce qui se cache derrière ce sigle, Philéas Beauregard seul pourrait le révéler, à condition qu'il le sache lui-même. De toute manière, il est tenu au secret. Par qui? Encore un mystère. Mais accoutumé aux mystères, le Canadien français n'est pas curieux.

Jean-Loup Reider et Ivanovski, de formation euro-péenne, sont dans la L.A.C.F., l'un par esprit d'aventure, l'autre par sentimentalisme. Jérémie Pélissier croit qu'il fait partie de la Ligue des athées canadiens-français. Jean-Gabriel Duquette est sûr de la Ligue d'action canadienne-française. Jean-Loup Reider dit que c'est bien une ligue en effet qui devrait porter le nom de Liberté d'action des chrétiens fon-damentaux. Ivanovski pense que le Canadien fran-çais est ligueur de nature, qu'il se ligue pour le Sacré-Coeur autant que pour la balle molle et rien ne l'étonne. Ce qui est certain, c'est que l'anticléri-calisme fait le fond de tous les débats.

— Les meilleurs prêtres que je connaisse sont tous anticléricaux, affirme Philéas, qui au demeu-rant va à la messe tous les dimanches et jours fériés.

Ivanovski, russe ou plutôt né de parents russes — Ivanovski, c'est son surnom — va à l'église à Pâques, comme tout bon orthodoxe.

Jean-Loup Reider est calviniste. Il fait le tour des paroisses protestantes et va au prêche selon l'heure qu'il est, le temps qu'il fait et le quartier où il se trouve.

Jean-Gabriel Duquette ne fait part de ses con-victions qu'à ses quatre plus chers amis. Il ne croit à rien, bien sûr, mais en société, il est l'homme de Graham Greene.

Jérémie Pélissier se débat dans le plus obscur agnosticisme. Il ne croit pas ce qu'il ne sait pas, ou le contraire, etc., et il pense à tout cela beaucoup trop souvent.

Les autres membres de la L.A.C.F., au nombre de deux cent vingt-quatre, ont tous la satisfaction d'appartenir à une société secrète et l'assurance qu'ils contribuent utilement à un grand mouvement de libération intellectuelle. Leur cotisation leur donne droit à une séance clandestine de films non censurés une fois par mois, à un discours semestriel de Jean-Gabriel Duquette, à une conférence sur le développement de la personnalité par Jean-Loup Reider une fois tous les deux mois, et à un bulletin annuel rédigé et publié par Jérémie Pélissier. C'est Ivanovski qui fournit et montre les films et qui les commente.

Le lieu où se trouvaient ces amis sympathiques était un sous-sol — à Paris on dirait une cave — où des immigrés de fraîche date servaient du café, du thé, du chocolat chaud, des amuse-gueules, des gâteaux au miel et aux amandes. Les habitués de l'endroit en aimaient l'atmosphère d'auberge tyrolienne…

— Estonienne, vous voulez dire.

— S'il y avait un poêle, ce serait une isba.

On s'entendait au moins à juger exotique la décoration de la salle, et c'était également tout ce qu'on pouvait affirmer de certain à propos de l'accent des propriétaires. Ils étaient aimables tous les trois, ou tous les quatre ou cinq, on ne savait au juste combien ils étaient : le grand-père, la mère, des fils, une fille, un neveu à grosses moustaches qu'on avait pris d'abord pour le père et qui était lié par contrat à sa tante. Pour simplifier, c'est lui que les clients surnommaient Patron.

Qui voulait boire apportait sa boisson, pourvu qu'il fût membre du club. La police des alcools ignorait ou tolérait, on ne savait pas. Des membres, il y en avait peu, et tous triés sur le volet par Patron qui se fiait à son nez, son oeil et son oreille pour juger un homme. Ivanovski, ayant passé l'inspection avec honneur, fit admettre ses camarades au moment où la L.A.C.F. se cherchait un repaire.

Tout s'y passait à la bonne franquette. On allait quérir soi-même ce qu'on voulait à la cuisine et la salle était souvent traversée par quelqu'un chargé d'un plateau rond et peint de gaies couleurs.

Ivanovski sort de sa poche un harmonica et commence à jouer. Il improvise une mélodie horripilante dans le genre tzigane. Jean-Loup Reider revient à son idée.

— Remarquez, dit-il, qu'elle n'est pas tellement originale. Elle est née d'abord chez un doyen, vous devinez de quelle faculté, qui disait un soir… Ivanovski! Tu nous écorches, mon vieux! qui disait quelque part dans un salon bourgeois… Ivan! Merci, mon vieux, tu joueras tantôt. Il disait: «Tant qu'on ne pourra pas affirmer à haute voix, à l'Université de Montréal, que Dieu n'existe pas, il n'y aura rien à faire.» C'est vrai, enfin, quoi? En science, il n'y a pas d'à priori, il n'y a que des phénomènes. En philosophie, c'est la même chose. Supposons ceci: qu'une machine à qui on a appris à raisonner soit installée d'ici peu à Montréal. Elle peut résoudre tous les problèmes. On lui pose la question : «Dieu existe-t-il?» Vous voyez l'absurdité de la chose? La futilité d'un système philosophique démontrée par une machine à penser. C'est une perspective effrayante.

— J'ai toujours prétendu que la Foi n'est pas discutable, dit Jean-Gabriel Duquette.

— Dieu c'est comme la Patrie, l'Honneur, la Chasteté, une affaire de tempérament, dit Jérémie Pélissier.

— J'ai plus peur du clergé que des machines, infiniment plus. Le peuple ne mérite pas d'être trompé, le peuple en a assez de casquer, dit Philéas Beauregard.

— Sire, dit Ivanovski, le peuple a faim.

Une des particularités de la L.A.C.F. était que les femmes n'en pouvaient faire partie. Il y avait à cela plusieurs raisons. Celle de Philéas Beauregard :

— Les femmes sont traditionalistes ou anarchistes. La tradition et l'anarchie sont incompatibles avec le libéralisme intellectuel, indubitablement.

Celle de Jérémie Pélissier :

— Elles veulent tout mener, peut-être?

Celle de Jean-Gabriel Duquette :

— Elles n'ont rien à dire.

Celle d'Ivanovski :

— Les femmes qui ont des idées ne sont jamais jolies.

— Vos arguments sont réactionnaires, contraires au principe de l'égalité des sexes, démentis par l'évidence et de nature à entraver ici la marche de l'Histoire, avait rétorqué Jean-Loup Reider. Mais, puisque vous êtes contre...

Le cri de guerre de la L.A.C.F. était de Voltaire, à quelques mots près : *Écrasons l'Infâme sous les bombes puantes.* Philéas Beauregard l'interprétait comme ceci : ridiculiser le clergé afin de dissoudre sa graisse, i.e. son influence, ses positions terrestres, etc. Le clergé avait plus d'emprise sur les institutions de la province de Québec qu'il n'en avait en Italie, où pourtant le pape, tout de même...

— La hiérarchie dénonce le laïcat, dit Philéas Beauregard. Les chefs de parti se font bénir publiquement, mais leurs meilleurs lieutenants sont dans le camp opposé.

— Le cerf est aux abois, il faut lui courre sus, s'écrie Jean-Loup Reider.

— J'ai fait ce que j'ai pu pour que les aumôniers sortent des syndicats, dit encore Philéas. Mais je me demande si je n'aime pas mieux Rome que James Hoffa.

— J'ai soif, dit Jérémie. Êtes-vous sûrs que notre *private stock* soit épuisé ? Moi, je vois le problème comme ceci : quand on part de Dieu, on arrive au néant. Dieu nous a créés, perdus, sauvés. Entretemps, vie contemplative, calculs. Le terme de l'existence est un retour, pas un progrès. En fait, la mort n'est plus un accident, c'est le but de la vie. Donc, pourquoi la vie ? Tout est non-sens. Tandis que, si on part de l'homme pour chercher Dieu... Ivanovski, tu pourrais te taire quand je parle de Dieu.

— C'est étonnant comme on parle de Dieu quand on est athée, dit Ivanovski. Je voulais savoir qui d'autre que moi avait soif.

— C'est ça, apporte quelque chose de positif à la conversation.

— Tu sais, moi, dit Ivanovski, je suis pour qu'on reprenne l'Alaska aux Américains. Alors, café?

— Café.

— Café.

— Café.

— Café. O.K. Vas-y.

Ivanovski s'étire et bâille et couvre ses amis d'un regard indulgent et rempli d'affection. Il ne partage aucune de leurs angoisses; l'ingérence du clergé, l'avenir des Français d'Amérique, rien de tout cela ne l'affecte, même en surface. Il ne se désole même pas de les voir tourner en rond dans leur cage. Il est d'accord avec eux sur un point: la liberté d'expression pour tous. À lui-même, il s'accorde toutes les libertés dans les limites les plus étendues de la loi. Il est cinéaste, et très bon cinéaste. Il travaille à l'Office national du film où, parce qu'on le croit russe de coeur et d'esprit et surtout parce qu'il n'y parle jamais que l'anglais, il est hautement considéré. On apprécie également son talent, car plusieurs de ses films ont été primés à Cannes et à Venise. Il connaît son métier à fond et sous tous les angles, et la photographie le passionne. Il parle six langues; l'étude du mandarin l'attire, il rêve de tourner un documentaire en Chine. Il est resté deux ans, autrefois, dans un collège de Jésuites pour y apprendre le français. C'est là qu'il a connu Beauregard, Reider (qui n'y faisait que passer) et même Duquette, plus jeune qu'eux tous.

Il s'étire donc et s'éloigne vers la cuisine.

— Il ne se compromet toujours pas, remarque Jean-Loup.

— Ivanovski croit en Dieu, lui, dit Jérémie Pélissier en soupirant.

— Moins que moi, dit Philéas Beauregard.

Il fait craquer une allumette et rallume sa pipe. Tout en tirant dans le tuyau, il dit encore :

— Moins que moi. Tu vas tomber à la renverse, Jean-Gabriel : je suis même passablement pieux.

— Ça me renverse.

Ils poursuivent leur discussion avec un manque d'entrain causé par la sécheresse de leurs gosiers. Ils s'interrogent et se répondent automatiquement parce qu'ils se sont réunis pour ça.

Pendant ce temps, il se passe dans la ville des événements capitaux.

Dans une chambre d'hôpital située dans l'aile réservée au clergé, le révérend père Racette, o.p., âgé de quatre-vingt-dix-sept ans, agonise. Ses arrière-petits-neveux et nièces, réunis dans un parloir adjacent, parlent peu et à voix basse. Quand il sera mort, ils iront se partager ses reliques : il a une grande réputation de sainteté. Une soeur infirmière prie à côté de lui. Le révérend père ne souffre pas. Il a pratiqué la charité et toutes les abstinences toute sa vie avec un bel acharnement qui l'a distingué des autres de même froc. Il y a longtemps qu'il ne fait qu'un avec Dieu et n'y pense plus. Une odeur de pain chaud flatte son odorat depuis quelques minutes. Il est couché dans un lit de fer sous un couvre-pieds à losanges multicolores et son frère dort à ses côtés. Après avoir pétri la pâte et l'avoir roulée dans ses paumes, sa mère l'a mise au four. Demain, il y aura de bons petits pains chauds avec une croix dessus.

Ailleurs, non loin d'une gare de triage, Mrs. Koproch fait sa valise en vitesse. Le travail a commencé une demi-heure auparavant et elle se minute. «C'est toutes les dix minutes maintenant, crie-t-elle en haletant un peu. Appelle un taxi, Joseph!»

À l'Académie Sainte-Monique d'Amherst, soeur Marie-Jeanne termine son oeuvre. Elle écrase des craies de couleur sur le tableau noir, sa main est sûre, son trait ferme. Elle recule de temps en temps et regarde en plissant les yeux. Il y a une famille d'Esquimaux en prière devant un Jésus-Papouse. C'est original et agréable; chaque jour, il y a du nouveau au tableau noir. «Mes petits vont trouver ça beau», pense soeur Marie-Jeanne.

Cette nuit est celle que Freddy Barton a choisie pour explorer les bouges de la métropole. Il n'en est encore qu'aux façades mornes de la rue Saint-Laurent. Et cette nuit est celle qu'Édith Favesham va choisir pour quitter ce monde inacceptable. Elle ne le sait pas encore; elle est seule dans sa chambre aux murs recouverts de damas bleu tissé de roses blanches. Elle porte une robe de nuit très large à manches longues en mousseline de soie pervenche. Elle est maquillée comme pour le bal, et tous ses bijoux ruissellent dans leurs coffrets de velours ouverts sur sa commode et sa coiffeuse. Ses enfants, sa mère, Bertrand, l'homme qui l'aime, personne ne compte, rien n'existe que sa beauté à elle, ses diamants et Éric, l'homme qu'elle aime et qui ne veut plus d'elle. Elle connaît sa première défaite, elle qui a toujours gagné au jeu de l'amour. Une reine déchue n'a plus de raison d'être, car une reine doit régner absolument. Rien ni personne ne lui résistait. À la première résistance, elle s'est brisée. Elle se regarde dans le miroir, intensément. Ses yeux violets deviennent noirs et se reflètent ainsi pendant des heures, tandis que sa tête se vide de toute pensée. Elle se répète en elle-même comme une mécanique : « Belle, belle pour rien, si belle, si belle… »

Il se passe ainsi dans la ville des choses plus ou moins drôles, beaucoup trop de choses tragiques ou simplement tristes qu'on ne peut empêcher : ce qui se passe, on le sait toujours trop tard, trop tard. Et puis, il y a trop de monde dans le monde pour le Bon Dieu.

Néanmoins, dans le café du sous-sol dont la raison sociale est The Old European Coffee House, nos cinq Montréalais exhibent une physionomie de joyeuse anticipation, tandis qu'avec élégance Ivanovski décharge un plateau.

— Café. Café. Café. Café et pour moi, café.

Voici une assiette de petites saucisses toutes chaudes, mais Patron manquait de pain. J'espère que vous apprécierez ce *special effort*. Quatre-vingt-dix cents et de la moutarde *on the house*.

Jérémie attrape le sucrier à bec, l'incline au-dessus de sa tasse, remue et boit.

— Pouah! fait-il, et il crache. Ce n'est pas du sucre, c'est du sel.

— Laisse donc! Donne. Je vais changer ça. Un des enfants a dû se tromper, dit Ivanovski de son ton le plus gentil. Il repart.

Philéas Beauregard met quelques saucisses dans sa bouche. Depuis quelques minutes, la discussion a pris une tournure politique.

— Le Nouveau Parti va remplacer le Parti conservateur d'ici dix ans, dit-il en conclusion.

Jérémie Pélissier, traducteur au plus grand quotidien français d'Amérique, cherche en vain dans sa tête ce qu'il peut opposer à cette affirmation. Le sujet semble vidé. Il aime mieux parler de religion, mais ce sujet-là aussi semble vidé. Pourtant...

La porte s'est ouverte et fermée plusieurs fois depuis l'arrivée de Jean-Loup Reider. On est sorti, on est entré et parmi ceux-là, une jeune personne singulièrement belle. Elle a des cheveux châtains, ondulés, flottants et une frange qui lui cache presque un sourcil. L'autre sourcil est mince et arqué. Elle a des traits fins, mis en valeur par une expression insolente, et des yeux d'un gris de chat persan gris-bleu, naturellement obliques et soulignés au crayon noir. Sa bouche est cyclamen pâle et ses ongles de même couleur. Sa robe en cachemire bleu, montée jusqu'au cou, s'évase à mi-cuisse en plis couchés, s'arrête au-dessus du genou. Elle porte des perles tombantes aux oreilles, un triple rang au col et des bracelets de pierreries fausses aux poignets. Ses perles sont de vraies perles. Elle sent l'*Ode* de Guerlain, un parfum qui ne tient pas sur tout le monde, mais auquel sa peau à elle ajoute une qualité.

Ivanovski a l'odorat extrêmement sensible. En la frôlant, il manque choir d'émoi. Il fait ohohoh…! et traîne les pieds. Elle lui sourit et cligne des deux yeux à la fois. Il va prestement poser le café frais et le saupoudroir devant Jérémie et revient près de la beauté. Deux hommes et une femme hommasse semblent l'accompagner, mais il y a aussi une chaise libre et Ivanovski s'y installe.

— Qui est-ce? demande Jean-Gabriel à ses amis.

— Peuh! qu'importe, dit Philéas. On n'est pas venus ici pour ça. Absolument pas.

— Alors, qu'est-ce qu'on fait?

— Philéas, qu'est-ce qu'on décide maintenant?

— Rien. L'évolution suit son cours. Tout va s'arranger avec le temps. Petit train va loin.

— Ce n'est pas avec des lieux communs que l'on sert un idéal de libéralisme intellectuel, dit Jean-Loup.

Ils ont ressassé aussi le thème de l'éducation dans la province de Québec et toutes ses variantes. Ils ont décrié les manuels depuis *Mon premier livre de lecture*, *Mon deuxième livre de lecture*, etc., dans lesquels les enfants de l'école publique apprennent à lire des fautes de syntaxe et des bondieuseries, jusqu'aux ouvrages traduits de l'américain. Ils ont convenu que M. Gérard Dagenais avait raison de réclamer l'importation massive de professeurs français pour les écoles primaires. Ils espèrent qu'avant longtemps la législature donnera une charte québécoise à l'Université de Montréal qui deviendra université d'État. Ils ont formulé des voeux ardents d'étroite coopération entre la Province et les pays africains francophones, pour des échanges d'étudiants, de professeurs et de civilités à tous les degrés. Philéas Beauregard croit fermement que l'éducation de ses enfants ne lui coûtera rien d'ici cinq ans.

— Tu crois donc aux promesses du Parti libéral? demande Jérémie.

— Le Parti libéral a volé le programme du Nouveau Parti, c'est ça que je crois.

Enfin, ils pensent tous qu'à force de se démener, d'écrire, de gueuler sur les *hustings*, d'insinuer, de pousser partout où il y a moyen, ils vont aider la province de Québec à s'élever d'un cran au-dessus du Portugal et de l'Espagne. Ici, pas de Salazar ni de Franco, après tout.

L'américanisation va faire le sujet des prochaines réunions. Il faut se battre sur tous les fronts à la fois. Tous des Sisyphe, voilà ce que sont les intellectuels canadiens-français.

— Mais non. Nous sommes agrippés au roc, dit Jean-Loup. Nous avons encordé la génération de vingt ans. Si nous lâchons, nous sommes foutus. Tous.

— Bon. Alors, Philéas?

Beauregard tente de les dérider.

— Si seulement on avait un congrès eucharistique à saboter, dit-il.

— Un congrès eucharistique?

Philéas retire sa pipe de sa bouche et la tourne dans ses doigts, pensivement.

— Oui, écoutez. C'était en… 1910, si je ne me trompe. Il existait à cette époque une cellule de francs-maçons affiliés au Grand-Orient de France. La plupart d'entre eux, croyants au fond ou agnostiques de bonne foi, avaient rallié le Grand-Orient pour des raisons politiques, à ce qu'ils ont dit. En fait, leurs raisons profondes, on ne les connaît pas. Ces hommes-là…

— Ivan! Hep! Ivan!

— Hum!… Laisse-le faire, Jean-Gabriel. Ces hommes-là, voyez-vous, ils se battaient pour des idées assez ordinaires, élémentaires même: par exemple, l'uniformité et la gratuité des livres, l'instruction obligatoire jusqu'à l'âge de quatorze ans.

— Cinquante ans après, peut-on dire que ces droits sont acquis? murmure Jean-Loup.

— Hum… Ce que mes bonhommes revendiquaient nous paraît ordinaire, naturel, mais dans ce temps-là c'était radical en diable. Tout le clergé était contre eux : un combat à mort. Attention, c'est historique ce que je raconte là ! Toujours est-il qu'un congrès eucharistique devait avoir lieu à Montréal. On s'attendait à une foule considérable et à une grosse délégation de monseigneurs, de chanoines, de soutanes de toutes les couleurs et de toutes les parties du monde, et des États-Unis. Le problème du logement avait-il été abordé par les journaux ? Je l'ignore. Mais toujours est-il que parmi ces francs-maçons, gens sérieux pour la majorité, il s'était glissé quelques farceurs qui conçurent un plan drolatique. Ils se proposaient d'aller dans les gares et d'accueillir, au nom du congrès eucharistique, un grand nombre de prêtres étrangers, forcément sans méfiance, et de les installer dans de bonnes chambres de bordels. Je ne vous apprends peut-être pas que jadis Montréal fut célèbre dans le monde entier pour le charme et la variété de ses bordels. *Sic transit gloria mundi*. Aujourd'hui, Montréal n'est célèbre pour rien du tout.

— Formidable ! s'écrie Jean-Gabriel. Et après ?

— La mèche fut partiellement éventée par un traître. Le récit en perd de son sel. Il y eut quand même des victimes.

— En France, tout finit par des chansons, dit Jérémie. Ici, tout finit en queue de poisson.

— Ah ! certes, nous ne sommes pas au pays du gigantesque, dit Jean-Loup. L'« hénaurme » flauber-

tien nous intimide. Si pourtant on essayait une fois?
Rien qu'une fois? Si on allait hurler que Dieu n'existe
pas dans les églises, un beau dimanche? Nos effec-
tifs nous permettraient de saboter deux cent quarante-
sept grands-messes.

— Maudit protestant! dit Philéas Beauregard en
raflant les dernières saucisses.

Il faut voir opérer Ivanovski. Il tient dans une
main une chaussure transparente au talon argenté.

— Je veux boire dans votre soulier, dit-il de sa
voix grave et douce comme un ronron. Qu'est-ce que
c'est? Du nylon? Je n'ai jamais vu un soulier aussi
joli, si fin! Le champagne ne lui ferait pas de mal.
Que je boive du champagne dans votre soulier et ma
vie est à vous!

De son autre main, il flatte la cheville de la jeune
personne dont les orteils se recroquevillent de plaisir.

— On vous croirait pieds nus sur des aiguilles
de glace. Qui a jamais vu des souliers semblables?

Il porte la petite chaussure à son nez et la hume
avec extase, puis il la tient à bout de bras et regarde
la lumière au travers.

— Je trouverai de quoi boire à mettre dedans,
dit-il. Quelle rasade!

— Non, dit la jeune fille. Je ne veux pas retourner chez moi à cloche-pied.

— Je vous porterai jusque chez vous.

— Dans la neige?

— Dans la neige.

— Jurez-le!

— Sur ma tête!

— Je ne veux pas retourner chez moi sur votre tête.

— Vous avez raison. Nous irons chez moi. J'ai un studio splendide près de McGill. Au printemps, on voit les frondaisons du campus et, entre les branches, la pelouse et sur la pelouse, au crépuscule, des amoureux qui se tracassent.

— Je comprends qu'ils se tracassent. Il y a un va-et-vient continuel autour d'eux.

— Vous avez fréquenté les pelouses du campus peut-être? Je vous rends votre soulier parce que tous les hommes qui nous regardent crèvent d'envie.

Jean-Gabriel Duquette lève le menton, regarde au plafond et dit:

— Résumons le problème.

Un son d'harmonica s'élève, plaintif et langoureux, au-dessus des conversations.

— Je le préfère quand il a sa guitare et qu'il chante, dit Jean-Loup. Cet instrument-là me tape sur les nerfs, et j'ai des nerfs d'acier.

Jean-Loup Reider est né à Ottawa d'un père français et pasteur et d'une mère canadienne-française. Ses parents sont retournés à Grenoble. Après un séjour chez les Jésuites, Jean-Loup a terminé ses études en France et a beaucoup voyagé avant de revenir à Montréal. Il y reste parce qu'il se débrouille très bien en écrivant des textes pour la radio et la télévision. Chaque été, il va escalader un pic dans les Alpes, dans les Andes ou dans les Rocheuses.

Il a des amis partout dans le monde occidental — dans le milieu de l'escalade surtout! À Montréal, il fréquente principalement le comité central de la L.A.C.F. et, comme ses amis, il s'ennuie. Il ramasse son argent. Il ne fume jamais. Jean-Gabriel fume peu. Jérémie fume sans arrêt. Philéas tire sur son tuyau de pipe avec moult pap-pap-pap.

— Ça y est! J'ai une idée monumentale. Nous louons ce qu'il faut chez Malabar et, déguisés en moines, nous allons le long des rues en insultant les femmes.

— Pas de grossièretés, Jean-Loup, dit Jean-Gabriel.

— Je veux dire attaquer, trousser, violer, enfin presque.

Jérémie émet l'opinion que ce peut être dangereux.

— Ah! Et puis si vous êtes contre tout ce que je vous propose...

— Systématiquement, non. Néanmoins...

Là-dessus, Philéas tire fortement sur sa pipe, en vain. Il la rallume. Cette gymnastique dure trois minutes et lui permet de réfléchir. Il articule:

— Politique d'abord.

Et puis il regarde intensément ses camarades l'un après l'autre.

Jean-Gabriel prononce le mot grève et c'est un nouveau départ dans la fantaisie, mais l'heure avance et l'imagination se ralentit.

— Bref, dit Jean-Loup. Est-ce que tu suggères

quelque chose, Philéas ? Sommes-nous sérieux, oui ou non ? Et si c'est non, le deviendrons-nous jamais ?

— La réponse est non, dit Philéas. Est-ce que tu crois qu'on peut encore conspirer au fond d'un trou par les temps qui courent ? Pas au Canada, c'est certain.

— On vient ici pour perdre son temps, dit Jérémie, le regard sombre.

— Peut-être. As-tu quelque chose de mieux à faire, Jerry, en dehors de tes traductions d'annonces de corsets ?

— Il a fallu des centaines d'années pour bâtir les Pyramides, susurre Ivanovski, et si peu de temps pour faire la plus grande merveille du monde qui est votre bouche. C'est un miracle.

— Ma bouche n'est pas si grande que cela, répond la belle fille.

— Ce n'est pas ce que je voulais dire. Laissez-moi tenir votre main si palpitante... les mots ne sont rien... les mots sont de tous les âges, toujours les mêmes, mais ce que j'éprouve, moi, ce soir, est tout nouveau, comme... comme le printemps en avril, tout nouveau, et si fort que je vous le communiquerai d'une manière irrésistible comme ceci, mieux qu'avec les mots dont vous vous moquez.

Et il lui mordille aussitôt l'extrémité des doigts avec l'art consommé qui vient, dit-on, après une longue pratique.

— Tudieu ! Il est près de onze heures. Je ne suis pas rendu chez moi, dit Jean-Gabriel qui habite assez loin.

— Moi, ma femme m'attend. Mes enfants dorment, par exemple. Indubitablement, s'il est onze heures.

— Mon lit m'attend, dit Jean-Loup qui se couche d'ordinaire à dix heures.

— Moi, personne ne m'attend, ni le sommeil, ni personne, dit Jérémie. Où est Ivan? On ne l'a pas beaucoup vu ce soir, il me semble.

— Tourne-toi. Observe. Tais-toi, dit Jean-Loup.

Ils regardent tous dans la direction indiquée et Jean-Gabriel dit encore :

— Tudieu!

Ivanovski enlace la jeune personne avec qui il causait et l'embrasse sur la bouche sans lâcher prise. Les gens qui sont venus avec elle se parlent entre eux, tout naturellement exclus de ce qui se passe sous leurs yeux et tout naturellement désintéressés.

On secoue la tête. Ivanovski leur en a fait voir d'autres.

— Hé oui, ils dorment, soupire Philéas.

— Tu les aimes tes enfants, dis, Philéas?

— Évidemment. C'est pour eux que je lutte, afin de leur obtenir un monde meilleur. Je me demande d'ailleurs si tous les chefs politiques n'ont pas un complexe paternel. Je pose la question. On lève la séance?

— Levée, déclare Jean-Gabriel Duquette.

Ils s'arrachent de leur table, de leurs sièges, de leur caverne, de leur secret.

En s'habillant, ils prennent rendez-vous pour le prochain conciliabule.

— Ici, jeudi soir?

— Ça va.

— Ça va.

— Ça va.

— Tu préviendras Ivanovski, Jean-Loup?

— D'accord.

— On a quand même mis pas mal de choses au point ce soir, n'est-ce pas? demande Jérémie.

— Bien entendu, dit Jean-Loup. Craignons cependant d'être trop timides.

Philéas Beauregard enfonce sur sa tête un bonnet de rat musqué. Il se gante, change sa pipe de côté et pousse ses amis dans l'escalier.

— Timides? Absolument pas, dit-il, nous sommes prudents. C'est autre chose. Hein? Politique, politique d'abord.

Dehors, il neige toujours, une neige large et moelleuse qui embellit la ville en la capitonnant et qui la fait ainsi, en apparence, douce, confortable, arrondie dans ses coins. Le haut de ses quelques gratte-ciel disparaît dans le voile mouvant de la neige tombante et ses maisons basses ressemblent à de grosses dames bottées et emmitonnées de fourrures blanches.

Les quatre amis respirent en profondeur et reçoivent les frais flocons délicieusement, sur leurs visages tendus.

Ils auraient voulu vider leurs poumons de toute

la fumée aspirée et respirée depuis des heures. Ils ont chaud, et une même pensée leur vient — communiquée de l'un à l'autre, comment? — qu'il serait extraordinairement agréable de se déshabiller et de courir pendant quelques minutes, tout nus, à travers les rideaux de neige pour ensuite retomber au milieu de leurs lits, transportés à domicile par enchantement.

C'est une pensée naturelle comme le besoin de propreté, qu'ils jugent pourtant saugrenue et qu'ils n'expriment pas à voix haute parce qu'en effet la séance est levée, le charme rompu et qu'ils se retrouvent hors du cercle magique, étrangers presque, et déjà loin les uns des autres.

Ivanovski, s'il eût été là, aurait seul été capable de les rassembler, rien que par sa présence.

Ils vont maintenant s'adonner à leur ennui, chacun dans son style, jusqu'à la semaine prochaine.

Un groupe de jeunes gens, filles et garçons entre dix-sept et vingt ans, s'arrête non loin du Old European Coffee House et paraît hésiter.

Ce sont de jeunes bohêmes anglo-saxons qui, depuis certains articles que leur a consacrés le *Montreal Star*, s'efforcent consciencieusement de ressembler à leurs propres personnages.

Ils considèrent les quatre hommes qui viennent de sortir et qui marchent vers eux, leurs bonnets de fourrure, la haute taille de Jean-Loup, la barbe de Jean-Gabriel, la pipe de Philéas, les épaules rondes de Jérémie. Ils se croient plagiés ou reconnaissent des ancêtres, on ne sait; en tout cas, ils deviennent soucieux, font demi-tour et s'en vont leur chemin, et l'un d'eux s'écrie : *« Not that Coffee House, man ! It's too damn commercial. »*

MOEURS AMOUREUSES
DE CINQ MONTRÉALAIS

I

Ivanovski s'en allait dans la neige. Il écoutait le bruit de ses bottes sur la neige tapée, mêlée de sable, qui couvrait le trottoir comme une moquette d'une couleur inégale. Il respirait bien. Ses pommettes et ses lèvres étaient rouges, ses yeux étincelaient.

Il tenait les chevilles de cette créature amusante et si jolie qui se maintenait sur ses épaules en lui serrant la tête. Il pensa qu'ils avaient l'air d'un totem ambulant. Quand il fut arrivé devant la porte de l'immeuble qu'il habitait, il plia les genoux et cria:

— Tout le monde descend!

Elle glissa le long de son échine; il voulut lui saisir la main.

— Ah! Je ne peux pas marcher. La terre tourne trop vite, dit-elle en se dérobant.

Tous les deux, ils avaient pris quelques martinis dans quelques bars, et quelques verres de vodka, peut-être en tout six ou sept.

Pour lui qui avait comme tout Slave une bonne capacité d'absorption, cela n'était pas beaucoup. Et d'ailleurs, il marchait au grand air depuis une demi-heure. Il avait donc les idées claires, comme on dit, et même très précises. Quant à elle…

Il lui entoura la taille et la fit entrer, monter dans l'ascenseur, et la mena ainsi jusqu'au milieu de son appartement, qui était au huitième étage d'un immeuble tout neuf de la rue McGregor, d'où on avait une vue impressionnante de la ville et du fleuve.

Montréal s'étale au mitan d'un des plus beaux fleuves du monde, mais pour le voir, il faut que ses citoyens du côté sud aillent se percher haut dans la montagne, plus haut que les buildings, entrepôts, silos qui leur en cachent presque l'existence.

Le logis d'Ivanovski se composait de deux pièces, cuisine et salle de bain. Sa chambre, garnie d'une couchette et de plusieurs valises, malles, étuis et serviettes, lui servait surtout de chambre noire où il développait, coupait et recollait les films de sa collection personnelle et ses photos. Son living-room était un rectangle spacieux où s'alignaient le long des murs des matelas étroits, recouverts de velours, de tapisseries, de batiks, de couvertures marocaines, de tapis de Perse. Il y avait des tableaux de quelques peintres canadiens paysagistes au-dessus des matelas, ici et là des tables du céramiste Vermette, pendant du plafond des lampions de Mousseau, et au milieu de la pièce une sculpture d'Armand Vaillancourt, haute de six pieds. Au fond de la salle, par terre, des piles de disques à côté d'un appareil de haute fidélité; dans un coin, une étagère de brique rose où s'entassaient les livres d'art.

Il alluma les lampes, vertes, rouges, qui donnaient une lumière douce telle qu'on en voit dans les églises.

— Ces grands coussins, dit-il avec un geste large, c'est pour quand nous écoutons du jazz, mes amis et moi, ou du Bartók. Je ne tiens pas un lupanar, comme le soupçonne mon ami Philéas. Mais certaines personnes aiment écouter couchées, ou bien assises dans la position du lotus, ou bien sur la tête, ce qui est encore plus reposant.

La jeune fille ne semblait pas l'écouter; elle laissa tomber par terre le manteau de chinchilla qui l'enveloppait. Elle chancela.

— J'ai soif. Épouvantablement soif, dit-elle. Qu'est-ce qu'on boit?

— Mais oui, enlevons nos bottes et tout le superflu, dit Ivanovski. J'ai de tout à boire dans la cuisine. Et même, je sais faire un merveilleux café.

— Oh, non! Ça réveille trop! De la vodka encore. Beaucoup de vodka. Ou du gin. Vous avez du gin? Tout le monde a du gin. C'est si bon, la vodka!

Elle se laissa choir sur l'un des coussins et replia ses jambes de côté. Ses paupières s'alourdissaient. Elle sourit et murmura:

— J'ai soif!

Il la regarda un moment, en silence. Puis il s'en fut mettre de l'eau à bouillir et du café dans un filtre. Quand il revint près d'elle, elle avait les yeux fermés. Se penchant, il l'embrassa longuement, et lentement. Après, elle lui dit dans un souffle:

— Faites-moi boire, j'ai si envie de boire...

— Pourquoi? Si vous avez vraiment soif, je vous donnerai de l'eau.

— Ah! que vous êtes amusant! Amusant et pervers. De l'eau à moi? J'ai besoin d'alcool, voyons, du gin, du vin, n'importe quoi; que je perde la tête...

Il la considéra de nouveau sans rien dire et lui prit les cheveux à poignée, sans tirer dessus, les enroulant et les déroulant sur ses doigts. Et enfin, il sortit et revint avec un plateau chargé d'une cafetière, d'un sucrier d'argent et de deux tasses étroites et hautes. Il posa le tout sur une petite table et s'agenouilla par terre.

— Asseyez-vous, commanda-t-il. Vous serez mieux assise pour boire qu'étendue.

— Qu'est-ce que c'est? Oh! méchant! vous ne savez pas vivre, fit-elle avec humeur. Je vous ai prié de...

— N'êtes-vous pas encore assez saoule pour coucher avec moi? demanda ironiquement Ivanovski. Pour faire l'amour, Mademoiselle doit-elle ne plus savoir ce qu'elle fait? Et le lendemain, on se quitte sans souvenir. Et si l'on se retrouve dans le monde, ni vu ni connu. Je dis le lendemain, mais ce pourrait être au bout d'une heure. Je vous ai repérée à temps, je pense. Malgré mon expérience considérable du monde en général et des femmes en particulier, c'est la première fois que je tombe sur quelqu'un de votre espèce. Il est vrai que je ne suis pas de votre société. C'est dommage que ce soit comme cela, que ce soit vous, je veux dire, car vous me plaisez. Je croyais vous plaire. Buvez ce café.

— Non, dit-elle.

— Voyons, fit calmement Ivanovski, est-ce bien ce qui se passe d'habitude, dans votre milieu? La réunion débute sagement. On s'ennuie ferme, alors on boit pour se détendre. À minuit, tout le monde est alcoolisé au même degré, les robes se relèvent, les ceintures se défont, on se mélange quelque part et puis après, on reprend une existence correcte, on se rencontre comme si rien ne s'était passé. Est-ce que cela vous donne beaucoup de contentement?

Elle avait l'air de ne pas entendre et dit d'un ton langoureux:

— Oh! je... pourquoi m'avez-vous emmenée ici? C'est chez vous ce bric-à-brac?

— Buvez ce café immédiatement, sinon, je vous bats.

Il leva la main sur elle.

Elle fit la moue, avala d'un coup le contenu de la tasse et gémit:

— Je me suis brûlée la langue... Oh! oh! qu'il est amer, votre café!

Il ne dit rien et attendit.

Tout à coup, elle porta une main à son estomac

et l'autre à sa bouche :

— Je... me... sens... mal, fit-elle.

Ivanovski la releva promptement et, la poussant devant lui, l'enferma dans la salle de bain.

Elle en sortit un quart d'heure après, le visage tiré, les cheveux collants au front, les paupières cernées, les lèvres blanches et le blanc de l'oeil rose, le teint blême, les jambes flageolantes. Elle tenait ses boucles d'oreilles et son collier dans une main et une petite serviette mouillée dans une autre.

Elle passa devant Ivanovski sans le regarder, mit son manteau, et ses bijoux dans la poche de son manteau. Puis elle dit, la voix lasse et indifférente :

— Votre adresse, s'il vous plaît, et le téléphone. Je veux appeler un taxi.

Lui, il était debout à l'entrée de la cuisine, les manches de chandail relevées et un torchon à vaisselle autour des reins.

Il siffla entre ses dents.

— Que vous avez l'air vieux comme cela, s'exclama-t-il, vous faites au moins vingt-quatre ans ! Ne soyez pas dans une telle colère. Demain soir, vous ramasserez quelqu'un de plus compréhensif. Et, au lieu de vomir chez lui, vous vomirez chez vous, après. Qu'est-ce qu'une nuit gâchée ? Il vous en reste bien d'autres, et à moi aussi.

Elle se jeta sur lui et le gifla de toutes ses forces. Il éclata de rire et se frotta la joue :

— Je ne l'ai pas volé !

Puis il lui saisit vivement les poignets.

— Ne recommencez pas. Je ne suis pas galant deux fois de suite.

— Vous avez empoisonné le café! cria-t-elle.

— Parfaitement, j'ai mis un émétique dedans. C'est un médicament russe, et de ma grand-mère en plus! Pour vous donner une bonne leçon. Et voulez-vous savoir pourquoi j'ai voulu vous donner une bonne leçon?

— Pour m'humilier? Vous êtes un sadique!

— Vous ne comprenez rien. Vous êtes sotte autant que belle. Mais décidément, encore plus belle que sotte, et par conséquent Ivanovski va tout vous expliquer.

— Rien du tout! Le téléphone!

— Il est dans ma chambre. Venez donc!

— J'irai seule.

— Personne ne va jamais sans moi dans ma chambre à coucher.

— Je trouverai un taxi dans la rue.

— Un instant, vous oubliez vos bottes. Installez-vous ici que je vous mette vos bottes. C'est le moins que je puisse faire.

Or, comme il n'y avait pas d'autres sièges, elle fut obligée de se rasseoir sur l'un des matelas. Ivanovski s'agenouilla devant elle et prestement lui enleva une de ses chaussures.

— Ce joli, ce ravissant petit soulier, dit-il en le tenant au bout du bras. Combien j'aimerais le remplir de champagne et… vous souvenez-vous? C'est ainsi que notre idylle a commencé. Votre visage est boudeur. Non, vous ne pouvez pas vous rappeler, vous étiez déjà ivre. J'ai le répertoire complet des entrées en matière. Je suis très bavard. Je suis toujours comme le rossignol au mois de mai. Si vous n'aviez pas été un peu ivre, m'auriez-vous écouté? Non. Je ne crois pas. Vous êtes très froide, n'est-ce pas, quand vous êtes sobre? Répondez-moi très franchement. Vous n'aimez pas du tout les hommes?

— Je veux m'en aller.

Sa bouche se gonfla, elle ferma les yeux et se mit à pleurer soudainement.

— Je suis très fatiguée. J'ai mal à l'estomac. J'ai mal à la tête.

Ivanovski lui baisa doucement les poignets.

— Vous frémissez, dit-il à mi-voix. Cela ne vous plaît pas que je vous embrasse. Je vous fais peur. N'ayez pas peur. Je suis russe. Comme beaucoup de Russes, je parle énormément de moi. Je parle beaucoup aux femmes. Mais je pense qu'il y a beaucoup d'Italiens comme cela, beaucoup de Français, des Espagnols, des Turcs. Je ne suis peut-être pas très typique. Je suis russe, mais je ne viens pas de Dostoïevski. Je viendrais plutôt de Gogol. Je suis très drôle d'habitude. On me trouve drôle. Et les femmes surtout me trouvent très drôle et très gentil. Je leur plais. Enfin, je plais généralement à toutes celles qui me plaisent. Mais pas à vous. C'est seulement parce que vous aviez bu. Quand je m'en suis rendu compte, cela m'a rendu furieux et je me suis vengé. J'aurais pu mettre un émétique dans le gin.

Vous auriez été encore plus malade. Dans le café, c'était moins pénible pour vous. Vous voyez bien que je ne suis pas si méchant? Ne me pardonnez pas, dites-moi seulement que vous allez mieux. Dites-moi que vous n'avez plus peur. Comment vous appelez-vous?

Affaissée sur les coussins, elle répondit languissamment:

— Victoria.

— C'est un nom de princesse. Un nom de reine. Si je vous apportais quelque chose de très doux et de très bon pour votre estomac, un bon lait chaud vanillé, comment me trouveriez-vous?

Les yeux mi-clos, Victoria soupira:

— Charmant.

Ivanovski, en préparant le lait, se gourmanda. Je suis un Casanova de dixième ordre. Ma voix caressante est pour elle un puissant soporifique. Elle s'endort déjà, elle va dormir ici et moi de même, dans un autre lit. Et demain, elle me trouvera bête. Je ne peux pas la prendre de force car c'est une agnelle bêlante. Mon allusion à Dostoïevski et à Gogol ne l'a pas fait sourire. C'est pourtant une phrase qui désarme les femmes d'un certain monde. Oui, mais d'où vient-elle? Elle n'a jamais rien lu, sans doute. C'est une petite pocharde de luxe. Une rien du tout, malgré sa morgue et son excellente diction. Quel embarras! J'aurais mieux fait de la flanquer moi-même dans un taxi.

Il tira sur sa barbe luisante et frisée, noire comme

ses cheveux et assez courte. Il était beau et magnétique, et on le lui disait depuis l'âge de treize ans, depuis sa première vraie conquête. Cela et mille aventures satisfaisantes lui avaient donné une grande confiance en lui-même, une confiance qu'il avait toujours besoin d'éprouver.

Il arbora son air le plus doucereux pour porter le bol de lait à Victoria. Il la trouva debout, dépouillée de son manteau, appliquant la serviette mouillée sur son front. D'un grand mouvement de bras, elle désigna les peintures qui ornaient le pourtour de la pièce :

— Comment pouvez-vous vivre avec toutes ces horreurs qui maculent vos murs ? demanda-t-elle.

Puis, elle but quelques gorgées de lait.

— Merci, non, non, c'est bon. Voulez-vous mettre un peu de glace dans cette serviette ? Ma tête… c'est terrible comme ça peut cogner là-dedans.

— Certainement, s'empressa le séducteur, pris de court.

Et derechef dans sa cuisine, il pensa : « Je passe mon temps à la servir, moi ! D'abord je la traîne ici et là, et puis je la porte, et puis je la dégrise, je lui fais la morale, je la soigne. Quoi encore ? C'est une folle ou c'est moi qui suis fou. »

Il accourut aussitôt.

— La voilà.

— Très bien, dit Victoria. Maintenant, apportez-moi des oreillers, voulez-vous ? Je vais m'étendre ici quelques minutes, juste le temps de me remettre un peu. Parce que je ne sais pas faire le lotus, moi. Et encore moins me tenir sur la tête.

Des oreillers, il n'en possédait que deux. Ils étaient sur son lit. Il alla les chercher, les installa sous la tête de Victoria.

— Ils sont plus moelleux que vos coussins, dit-elle. Une couverture pour mes jambes! Si vous en avez une de secours. Ou encore, mon manteau fera très bien.

— J'étends votre manteau. Tout à l'heure je vous apporterai...

Il mit les mains dans ses poches et l'examina d'un air profondément préoccupé. Elle vida le bol de lait, le déposa par terre et leva les yeux vers lui avec l'expression d'une chatte rassasiée qui ronronne et qui veut qu'on la laisse en repos.

— Vous ne savez donc pas faire le lotus? dit enfin Ivanovski. Vous m'avez donc entendu quand nous sommes entrés ici. Vous n'étiez peut-être pas si saoule que cela, après tout.

Victoria en convint.

— Pas tellement. Ce n'était pas nécessaire de m'empoisonner. Ma pauvre tête!...

— Vous êtes une simulatrice! Vous faisiez semblant!

— Je fais toujours un peu semblant.

— Vous aviez envie de me suivre pour de vrai?

— Vous êtes très attirant, dit Victoria, la voix traînante. Vous le dites vous-même: vous plaisez aux femmes, elles vous trouvent irrésistible, drôle, un personnage de Gogol. Et puis, vos yeux verts...

Elle se moque de moi. Tout n'est pas perdu. Bientôt elle va s'attendrir. Et, femme attendrie, femme tombée, se dit Ivanovski. Il aimait bien inventer des proverbes qu'il qualifiait de proverbes russes. Il connaissait à fond les rouages du coeur des femmes et les innombrables manières de flatter leurs sens. Pourtant, il hésita sur le procédé à suivre avec Victoria. Devait-il s'étendre à côté d'elle, ou bien rester debout un moment en fumant une cigarette à laquelle il ne tenait pas, ou encore s'asseoir devant elle et rire du tour que prenaient les choses, comme un bon camarade, ou lui tourner le dos froidement, ou lui dire bonsoir sur un ton ironique, en beau joueur? Quelle attitude adopter? La désinvolture, la passion brûlante, la taquinerie ou bien…

— Et le plus stupide, reprit Victoria, c'est que j'ai vraiment besoin de cette glace, là sur mon front. J'ai mal à pleurer. Vous n'auriez pas des aspirines, par hasard? Je vous fais trotter, mais c'est votre faute, après tout.

— J'ai des aspirines, dit sobrement Ivanovski.

Il lui en apporta deux avec un verre d'eau.

— Merci. Il est extrêmement injuste que je souffre et que vous n'ayez rien. Pour trois vodkas que vous buviez, je n'en prenais qu'une. Je versais les autres par terre. Je fais souvent comme ça. C'est vous qui étiez rond, mon pauvre ami.

— Vous avez joué une comédie ignoble, dans ce cas!

— Ne parlez pas si fort. Je m'évertue à vous

dire que j'ai mal. D'ailleurs, puisque vous tenez à me parler, faut-il sortir tous les clichés de mauvais théâtre ? Qu'est-ce que cela veut dire, une comédie ignoble ? Vous croyez-vous donc naturel avec votre barbe d'artiste et votre faux accent russe ? Je n'ai pas joué de comédie, j'ai fait semblant, c'est tout.

— Semblant d'être ivre et semblant de m'aimer !

— Oh ! que vous êtes bruyant... A-t-il jamais été question d'amour ? demanda-t-elle. On a envie de quelqu'un comme on a envie de se gratter. Ce n'est pas très beau et ça peut amener des complications. Alors, on s'enivre ou bien on fait semblant d'être ivre. On a l'air moins responsable. Et puis après, et même pendant, on a moins honte. Moi, je trouve ça plus noble qu'autrement. Vous n'êtes pas une femme, vous ne pouvez pas être de mon avis. Vous n'avez aucune pudeur.

— Vous êtes effrayante !dit Ivanovski, sincère.

— J'ai très mal, reprit Victoria d'une voix plaintive. Vous êtes plus déçu que scandalisé.

— Je suis plus déçu que scandalisé, vraiment ? Ah ! c'est violent ça ! Quand même ! Nom de Dieu ! Je suis... je suis... un idiot, déclara-t-il. Oui, je vous harcèle alors que vous êtes malade. Je vous juge comme si j'étais, moi, un saint. Je vous ai punie comme si je n'étais pas aussi coupable que vous. Méprisez-moi, je le mérite.

Il s'assit par terre, les genoux relevés, et appliqua son front sur ses bras croisés.

— Moi, dit-il, quand je vois une fille qui me

tente, je ne me demande pas si c'est pour une nuit ou pour longtemps. Quand je lui dis : «Je t'adore», je le pense. Mais je ne me demande jamais si je le penserai demain. Je ne le lui demande pas non plus. Tout ce qui est bon est bon à prendre quand ça passe, et je n'ai jamais dit toujours à personne. Et je n'ai jamais eu honte. Honte de quoi? Quand on est libre et qu'on se plaît, de quoi peut-on bien avoir honte?

Victoria le regardait avec méfiance.

— Vous êtes un exhibitionniste. Pourquoi étalez-vous vos états d'âme? Ce que vous êtes et ce que vous faites, ça ne m'intéresse pas...

— Je me suis conduit comme un goujat. Je n'ai même pas essayé de vous comprendre et j'ai tout gaspillé. Je suis ridicule à vos yeux.

— Je n'ai pas pitié des hommes tristes, dit-elle. Je n'ai de goût que pour les hommes gais, très gais.

— Je suis toujours très gai, affirma tristement Ivanovski, sans lever la tête.

— Quel animal est plus lamentablement stupide qu'un homme qui pleure parce qu'il n'arrive pas à séduire? dit Victoria. L'amour de Roméo et de Juliette, ça n'existe plus.

— Non, heureusement, dit-il.

— La passion, c'est démodé. Alors...

— Pas question de ça, dit-il.

— Et l'amour conjugal, l'amour fiançailles, mariage, paternité, maternité, ce n'est plus bon à rien, dit Victoria. Ça doit disparaître par conséquent...

— C'est sûr, dit-il.

— Nous sommes condamnés. Et nous le savons tous. Nous n'avons peut-être pas dix ans, cinq ans à vivre, murmura-t-elle. Je ne suis pas la seule à jouer la comédie. Tout le monde fait semblant de vivre comme si tout devait durer. On a des enfants. On met de l'argent de côté. On cherche fortune. On veut être président, ministre. On commence une collection. Mais tout le monde a peur, peur. Même ceux qui croient en Dieu, s'il en reste encore.

Elle se tut.

— Je suis vraiment russe, dit Ivanovski. Le français n'est que ma troisième langue. J'ai l'accent que je peux.

— Ah!

Elle ferma les yeux. Au bout d'un moment, elle tourna la tête vers lui et s'endormit. La serviette nouée sur les cubes de glace tomba par terre. Ivanovski la ramassa et la posa sur la table. Le sommeil avait rendu à Victoria son visage de petite fille. Il la contempla tandis qu'un sentiment inexplicable lui soulevait la poitrine. Il essaya au moins de l'exprimer. «C'est mon amour qui dort, songea-t-il, j'en suis certain. Pour la première fois, j'en suis certain. Je ne fais pas d'erreur. C'est mon amour qui est là et qui dort. Elle ne sait même pas mon nom. Elle ne me l'a pas demandé une seule fois. Elle partira demain. Elle ne s'en ira pas. Je la garderai toujours. Elle ne m'aime pas. Elle va m'aimer, mais elle ne saura pas comment me le dire. Je le lui apprendrai.

Elle en sera étonnée. Je serai patient. Elle n'aura plus peur. Elle n'aura plus honte. Elle ressemble à Hélène, à Laure, à Juliette, à Yseult, à Bérengère, à Célimène. Il n'y a pas de femme comme elle dans la littérature russe. Elle ne ressemble à personne. Elle paraissait facile. Elle était fascinante. Elle n'est pas facile. Je ne sais plus quoi faire. Je l'aime. Je n'ose pas la toucher. Pourquoi pas ? Elle doit être comme les autres ? Non. Elle n'est pas comme les autres. Mais si j'avais été autre, elle serait déjà dans mes bras. Je ne peux pas penser à ça. Que j'ai été stupide ! »

Il alla éteindre les lumières de la cuisine et du vestibule. Il tourna aussi le bouton de deux lampes, mais en laissa une allumée afin de pouvoir regarder dormir Victoria. Il revint s'asseoir près d'elle et lui dit à voix basse tous les mots d'amour qu'il se rappelait avoir lus, entendus, dits à d'autres et qu'il croyait réinventer. Il s'assoupit à son tour.

Au petit jour, Victoria ouvrit les yeux. Son regard effrayé rencontra aussitôt le regard d'Ivanovski qu'il s'efforça de rendre aussi gai que possible.

Il craignait pourtant si fort qu'elle le repousse et qu'elle s'en aille, que son coeur battait à se rompre. Il n'osait pas lui parler le premier.

— Êtes-vous resté là tout le temps ? lui demanda-t-elle.

Il fit signe que oui de la tête.

— Vous avez dormi ?

— Presque pas.

Le visage de Victoria se détendit et devint pensif.

Il se pencha soudain, l'embrassa sur la joue et demeura ainsi quelques secondes. D'abord, elle ne fit pas un seul mouvement, mais quand il voulut se redresser, elle le prit par le cou et le retint contre elle de toutes ses forces.

II

Il était minuit moins le quart lorsque la douce Ozélina entendit entrer son époux.

Philéas commença par essuyer ses lunettes embuées. Il fut accueilli en même temps par la chaleur sèche de la maison, une odeur de vieux biscuits, et la voix de sa femme.

Ozélina était dans la salle à manger.

— Philéas? As-tu passé une bonne soirée? Tu rentres comme je finis mon travail. Je tape sans arrêt depuis deux heures.

— Alors, tu as fini?

Il l'embrassa sur la tempe.

— As-tu faim?

— Non. Il neige. J'ai marché.

Il se frappa la poitrine en rejetant les épaules en arrière.

— Ah! je me sens bien, extraordinairement

bien! Une bonne marche, ça fait du bien. Ah! on respire bien dehors. À propos, il fait chaud ici. Je crois qu'il serait temps d'acheter un humidor.

— Un humidificateur, dit Ozélina.

Elle referma la machine à écrire portative et la rangea dans l'armoire du buffet. C'était un buffet scandinave. Tous les meubles de l'appartement étaient de fabrication canadienne mais de style scandinave. Sur chacun des murs du salon et de la salle à manger, il y avait soit une peinture abstraite, soit une forme de métal émaillé. Un crucifix très allégorique, d'une facture différente dans chacune des pièces, marquait le haut d'une porte.

Dans les chambres des enfants, des dessins d'enfants. Dans la chambre des parents, plein de photos d'enfants. Nulle part on ne trouvait de portraits d'aïeux, ni de meubles anciens, ni de souvenirs de famille. Le genre humain commençait depuis le ménage Beauregard. Chez lui, rien ne s'amassait, ni papiers, ni vieux livres, ni collections d'aucune sorte à moins que les crucifix, au nombre de huit, et que les peintures et émaux, il y en avait huit aussi, ne constituassent une collection.

Les dessins d'enfants changeaient chaque semaine; on jetait les autres. Les photos d'enfants changeaient aussi, mais une fois l'an, vers la Noël; on distribuait les autres à la parenté.

— Puisque tu n'as pas faim, dit Ozélina, allons nous coucher.

Philéas acquiesça avec empressement. Ils se déshabillèrent et tandis qu'Ozélina défaisait son chignon, brossait sa chevelure et la tressait en deux nattes bien tirées, Philéas s'ébroua dans la salle de bain. Il en sortit boutonnant sa veste de pyjama et, de nouveau, tambourinant sur sa poitrine, il s'écria :

— Ah ! je me sens bien, ce soir !

— Veux-tu faire faire pipi à Nelson, Philéas ?

— Bon.

Dans la chambre où dormaient deux de ses quatre fils, Philéas s'approcha du lit de Nelson et souleva l'enfant avec délicatesse.

— Lève-toi, Nelson. Viens faire ton pipi, mon gars.

— Réveille-le comme il faut, Philéas, sans ça, il ne se corrigera jamais, lui dit sa femme.

— Ouvre les yeux, mon petit vieux. Regarde papa. Ouvre donc les yeux, mon gars. Faut que tu ailles au cabinet tout seul.

— Ne le porte pas, Philéas. D'après le docteur, pour que l'enfant se rende compte, il lui faut être complètement réveillé.

— Oui, je sais, dit-il. Mais pour ce soir, il est trop tard. Viens m'aider à changer son lit.

Ozélina, enveloppée dans une robe de chambre en orlon rose, parut, portant deux draps.

— Faut un pyjama sec aussi, remarqua-t-elle. À six ans, il ne devrait plus se mouiller.

Le petit garçon, momentanément déposé sur la carpette, ouvrit des yeux gonflés et murmura :

— Encore un accident, p'pa ?

— Ben oui. Demain, tu tâcheras d'y penser à temps.

Il lui mit du linge propre et le recoucha avec un gros baiser sur le front.

Après quoi il fit sa ronde, comme il disait, allant voir ses enfants l'un après l'autre, distribuant des bises sur les têtes endormies, remontant une couverture, relevant un jouet; puis il donna toute son attention à sa femme.

Ozélina était une brune au nez long et pointu, avec d'assez grands yeux, une poitrine de proportions modestes, un bassin large et demeuré plat en dépit de six maternités, des jambes d'un beau galbe. Elle taillait ses ongles courts et ne se maquillait jamais.

Avant d'épouser Philéas, elle avait acquis une grande réputation, d'abord au sein de la Jeunesse étudiante catholique (J.E.C.), et ensuite dans les milieux du journalisme et des syndicats par ses enquêtes sur le travail féminin, lesquelles, réunies en volume, lui avaient valu un prix de la Société Saint-Jean-Baptiste. Pour sa thèse sur la doctrine sociale de l'Église et le prolétariat féminin dans la province de Québec, l'Université de Montréal lui avait décerné un doctorat (avec distinction), le premier à être donné à une femme dans ce domaine. On tenait Ozélina Beauregard pour une autorité. Aussi apparaissait-elle fort souvent à la télévision, dans les rencontres d'intellectuels et à différents congrès.

Elle collaborait en outre à maints journaux et

revues, et préparait actuellement une série de sketches «télévisibles» dont le thème était les différents aspects de la femme au travail : son ignorance de la loi, son apathie politique, son immaturité, son indifférence à l'égard du mouvement syndical, les dangers moraux encourus par elle, et ainsi de suite. Il y avait déjà dans ses fiches de quoi alimenter un programme d'une demi-heure durant deux ans. Ozélina faisait également partie de diverses associations féminines plus ou moins connexes, en qualité de secrétaire, de vice-présidente ou de présidente. Elle n'en élevait pas moins sa marmaille avec tendresse et fermeté, et sa tenue de maison défiait toute critique.

C'est sur ce parangon des vertus, tant civiques que domestiques, sa femme, en deux mots, que Philéas appuya son regard quand elle se fut mise au lit. Puis, il ouvrit un tiroir de la commode, en retira un calendrier circulaire et un thermomètre et se concentra.

— Est-ce un bon jour, aujourd'hui ? demanda-t-il au bout d'un moment.

Ozélina avait ouvert un numéro d'une revue socialiste américaine et lisait.

— Lina ? s'écria Philéas, la voix vibrante d'une joyeuse anticipation. J'ai l'impression que tu es en plein dans tes bons jours.

— Qu'est-ce que tu dis, Philéas ?

Il s'approcha du lit et lui présenta le thermomètre.

— Ouvre la bouche, ordonna-t-il. Et puis, tiens,

examine donc le calendrier. Tu vois, du seize au dix-neuf. Le mois dernier, c'était...

— Hum...

— Ne parle pas. Selon mes calculs, ta température doit être... Où as-tu mis le papier sur lequel j'avais fait un graphique?

— Hum...

— Il n'est pas dans le tiroir. Dans un autre tiroir? Hein?

Elle haussa les épaules.

— Alors, examine les dates. Qu'en penses-tu?

Il consulta sa montre:

— Une minute et demie. Pour être plus sûre, garde-le encore une minute.

Ozélina, tenant la tige de verre serrée entre ses lèvres, lisait toujours. Il souleva une de ses nattes.

— Te sens-tu bien, ma petite sauvagesse? Bon. Voyons ça. Bon. Où est mon graphique?

— Dans le tiroir, dit-elle. Tu as mal regardé.

— Je suis impatient, avoua-t-il en cherchant le papier. Voilà. Hé bien non, pauvre Lina! Tes bons jours ne commencent que dans deux jours. La marge n'est pas grande, qu'en penses-tu?

— C'est risqué, dit Ozélina. Et six enfants, c'est suffisant. Attends deux jours.

Philéas rangea ses instruments de précision et vint se coucher à côté de sa femme. Il n'en finissait plus de soupirer.

Elle éteignit la lumière. Il tira et noua fortement les cordons de son pyjama avec un mouvement de résignation héroïque et, se tournant, prit sa femme entre ses bras.

— Je suis en trop bonne santé, fit-il en l'étreignant. Toi aussi, hein, ma belle, belle Lina ? On va se reposer comme il faut parce que dans deux jours on va se fatiguer selon la règle et le devoir prescrit.

— N'oublie pas de dire ta prière, dit Ozélina en le serrant contre elle à son tour.

— Je ne l'oublie jamais.

Après quelques minutes, il dit :

— Je me sentais tellement bien, je pensais tellement à toi, que j'ai oublié de te demander ce que tu avais fait ce soir, les enfants...

— Dirai demain, murmura-t-elle. Dors...

III

La barbe de Jean-Gabriel Duquette lui donnait de l'aplomb. Sans elle, sa figure avait peu de relief : petit nez, bouche minuscule, rose et charnue, menton rond et gras, sourcils clairsemés. Ses yeux très grands et bleu pâle semblaient près de noyer son visage, leur eau glacée retenue seulement par de longs cils comme par une frange de roseaux. Sa barbe l'introduisait dans l'univers physique des hommes, bien qu'à vingt-sept ans il en parût dix-huit ; il les paraîtrait longtemps encore.

S'il avait déjà souffert d'être resté petit, il y pensait peu maintenant. «Quand on n'est pas grand, s'était-il dit un jour, on grimpe.» Aussi à grimper employait-il depuis toute sa puissance intellectuelle.

Les circonstances le forcèrent à abandonner le droit après la troisième année, pour entrer à Radio-Canada où, dix-huit mois plus tard, il devenait réalisateur. Il avait à cette époque expliqué à ses amis pourquoi il changeait subitement de carrière.

Son père avait un magasin général dans une petite ville. Sa mère était morte après un an d'hospitalisation, de rayons X, de traitements divers, donc ordonnances, comptes de médecins, etc. Et les économies de la famille, les assurances, l'argent obtenu grâce à une hypothèque, tout y avait passé. Quatre des enfants de M. Duquette se débrouillant tout seuls, il restait encore à cet homme quatre enfants plus jeunes à faire instruire. Il ne pouvait plus rien pour Jean-Gabriel, le plus doué de tous, que les pères Jésuites avaient d'ailleurs éduqué pour ainsi dire gratuitement.

— Après mon bachot, l'Association des anciens m'a donné mille dollars pour commencer mon droit. L'année suivante, mon père, mon frère et une de mes soeurs m'ont avancé l'argent qu'il me fallait. Après la mort de maman… il n'y a pas eu moyen, quoi! Une bourse? J'ai posé ma candidature quatre années de suite, j'ai fait des demandes, des démarches et des visites. Je n'avais pas d'influence politique, je ne connaissais personne capable de parler pour moi au ministre, au sous-ministre, ni même au député de mon comté. J'ai eu des tas de lettres de recommandation, évidemment. Une seule suffit quand on est sûr qu'elle sera lue. Si quelqu'un avait voulu mettre ma démarche au-dessus de la pile des sollicitations... mais non! Quand on n'est protégé par personne, on n'a rien. Les bourses ont été un peu trop fréquemment accordées à des garçons de familles riches ou connues. Ou à ceux qui étaient fils de la soeur du cousin d'un fonctionnaire quelconque.

— Des milliers d'étudiants et de collégiens subissent le même sort que toi. Et cela fait des générations que ça dure! s'écria Philéas Beauregard.

— À quand les concours d'admission aux grandes écoles? s'écria Jean-Loup Reider.

— Il m'est arrivé la même chose qu'à toi, dit Jérémie. Je n'avais pas d'argent, alors...

Jean-Gabriel, à l'instar de nombreux compagnons d'infortune, se fit donc fonctionnaire. S'il eut l'idée d'entrer à Radio-Canada, c'est que cette société (de la Couronne) avait du prestige. Vers elle convergeait, depuis huit ans surtout, la majeure partie des talents de la province, talents de tous calibres, et que, pour un grimpeur obstiné et tant soit peu agile, rien n'égalait ce cocotier gigantesque.

Jean-Gabriel ne possédait aucunement ce don précieux et périlleux: l'imagination créatrice. Mais il avait du goût et du tact. Il découvrit d'excellents textes, les adapta, les découpa, les mit en ordre fort proprement. Il rechercha les conférenciers de renom, les professeurs, les gens diserts, ceux qui ont d'honorables souvenirs; il forma une table ronde et fut l'initiateur de discussions-questionnaires, série qui plut à tout le monde parce qu'on n'y aborda aucun sujet de conséquence, mais qu'on y traita de choses insignifiantes avec esprit et dans une belle langue. Il s'initia aux combines, sympathisa de très près avec les syndicalistes, avec ceux qu'on appelait gauchistes dans les dernières années du règne de Duplessis. Il se montra déférent avec la Haute Direction, modeste avec les auteurs inamovibles, compréhensif avec les commanditaires, assidu à toutes les réunions professionnelles, aux premières, aux vernissages, aux lancements de livres; là, en somme, où il est bien rare de rencontrer un réalisateur, si bien qu'on en vint à le voir partout et que les manitous et autres gouverneurs qui, eux, sortent beaucoup et savent se montrer, le remarquèrent. On commença à penser à lui. Il cessa très vite d'être un petit blond comme il y en a tant et devint quelqu'un de reconnaissable qui s'appelait Duquette.

Promu enfin réalisateur à la télévision, son nom passait au générique. Gloire par trop fugace. «Ce n'est qu'un bon départ, affirmait-il à ses amis. Maintenant je dois me répandre.»

Il se chercha un territoire. La peinture et la poésie abstraites l'attirèrent par leur facilité — laquelle, prétend-on, n'est qu'apparente. À bien y réfléchir pourtant, ces chemins n'étaient-ils pas des labyrinthes? Au lieu de tourner en rond, il lui faudrait prendre une route qui déboucherait tout droit dans l'avenir. Par où et jusqu'où peut-on aller quand on n'est ni un scientifique, ni un artiste ? Par la politique et jusqu'en haut, pardi ! D'accord, mais quelle politique ? À quelle échelle ? Jean-Gabriel *wanted to get right to the top*, comme il se le disait lui-même, mais en français, car il n'était pas bilingue.

Or le Canada poursuivait son cycle de socialisation, commencé après la dernière guerre; il se hâtait lentement, il est vrai, mais de réforme en réforme et par nationalisations successives, il avançait selon les données de l'Histoire et quand enfin le cycle serait terminé, où irait-on ? Est-ce qu'une réaction toute nouvelle et différente de l'odieuse Réaction ne surgirait pas alors des forces naturelles de l'individu ?

Jean-Gabriel lut beaucoup, pensa, jaugea ses chances. En attendant, il serait internationaliste, tout en prônant un certain nationalisme, un nationalisme purement culturel destiné à donner une personnalité véritable aux cinq millions de Canadiens français.

Il se rendit compte en discutant avec ses égaux qu'on respectait de préférence les gens qui avaient l'habileté ou le courage de pousser leurs théories jusqu'au bout. Et il le fit froidement comme il faisait toute chose, se croyant certain de jouer gagnant.

Il se rendit donc sympathique à la plupart des gens. On le trouvait sincère dans ses convictions, fidèle aux intérêts de sa classe et de sa nation, en bref, bon camarade. Une seule espèce parmi la faune de Radio-Canada lui demeurait étrangère et lui paraissait extrêmement effrayante : les comédiennes.

Tandis que, selon lui, les scripteurs sont vaniteux mais naïfs et généreux — sauf un —, les opérateurs bons enfants, les chefs de service pratiques et faciles à contourner de toute façon, les comédiens des instruments nécessaires et presque toujours dociles, les comédiennes, elles, étaient, disait-il, des sortes de marionnettes dont la manipulation lui paraissait manifestement compliquée, fastidieuse, et au demeurant d'une efficacité équivoque dans bien des cas.

— Je ne peux pas les endurer, confiait-il à Jérémie Pélissier. Ces actrices! Elles sont comme des fleurs artificielles. Et nombreuses! Elles sont trop. Bon Dieu! qu'elles me tapent sur le nerfs! Et je suis paisible, mon cher vieux, pas survolté comme Ivanovski en ce qui concerne les femmes.

— Ni comme Philéas face à la politique, appuya Jérémie.

— Ni comme Philéas, ni même comme Jean-Loup, quand on aborde les droits de l'homme. Je suis un radical modéré. J'ai la passion froide, moi. Mais enfin, elles sont terribles! Je suis obligé de voir ce que les autres réalisateurs font, moi; qu'est-ce que tu veux, c'est mon métier. J'en ai encore à apprendre. Surtout que mon cas n'est pas banal. Passer comme moi de la radio à la télé, c'est exceptionnel, et en si peu de temps!

— Certes, dit Jérémie.

— Alors, j'ai bien été forcé de les voir à l'oeuvre, les comédiennes. On appelle ça jouer! Surtout dans ces montrueuses continuités pseudo-canayennes où elles sont censées ressembler à ma tante Clara et à ma soeur Marie-Paule. Les romans-savon, images fidèles du peuple canadien-français. Si la race est comme ça, c'est pas la peine d'essayer de la sauver!

— Je ne suis pas un téléspectateur, avoua Jérémie. Je ne vois que tes émissions et les nouvelles. Mais est-ce que les auteurs ne seraient pas plutôt ceux qu'il conviendrait de blâmer?

— Je ne dis pas non, mais elles en rajoutent. Leurs minauderies, leur faux accent de salon ou bien leur parler joual pis que le vrai, insultent l'intelligence de mes soeurs, de ma pauvre mère et des Canadiennes prétendument ordinaires. Elles entrent dans ces rôles-là comme dans du beurre. Je ne pourrai jamais travailler avec ce monde-là. Jusqu'à présent, on m'a confié des programmes d'information, des documentaires, tu vois, je me suis arrangé. Mais alors, dans les corridors, dans les ascenseurs, dans les réceptions, elles sont là, innombrables, papotantes, agressives. Les pires ne sont pas celles que l'on ne voit jamais sur le petit écran.

— Tu es lyrique, soupira Jérémie.

— Si elles m'inspirent, c'est à les fuir, dit Jean-Gabriel. Mais je ne faiblirai pas, je me surmonterai. Et pour comble, il y en a toujours une qui se colle à moi pour que je la produise dans ma revue de l'actualité, sous le moindre prétexte.

— Pauvre vieux! dit Jérémie. Dans ces conditions…

Les artistes ont la couenne dure, dit-on, mais les antennes sensibles. Ils avaient perçu très tôt cette aversion de Jean-Gabriel pour les comédiennes. Les uns en riaient avec une aimable tolérance : une manie chez un autre renforce la sympathie, n'est-ce pas ? Quant aux actrices, qui sait ce qu'elles pensaient ?

Aucune d'elles ne s'était encore manifestée à ce sujet, lorsqu'un certain mardi Jean-Gabriel invita Philéas Beauregard et Jérémie Pélissier à se joindre à lui pour déjeuner à la Régence, en l'hôtel Dorchester.

Ils entamèrent à la fois le potage et la conversation, Beauregard accaparant celle-ci, selon sa coutume ; néanmoins Jean-Gabriel parvint à placer quelques opinions chères à son coeur et d'ailleurs à la mode. Des phrases plus martelées que d'autres — contrôle des naissances absolument indispensable en Amérique du Sud… immigration rationnelle des francophones africains pour solidifier l'union des Canadiens français avec… avantages du mélange des races… le Blanc s'étiole… il dégénère… — pouvaient être entendues des tables voisines.

Jean-Gabriel, en confiance comme toujours avec ses amis, avait pris la parole au café. Il exposait sur un ton monotone sa théorie des races, une théorie qu'il croyait originale et de nature à le faire remarquer. Il était du reste parfaitement sincère. Quand il se comparait, tout menu, tout fade qu'il était, aux grands Noirs qu'il avait vus sur l'écran du studio, à l'occasion d'une des dernières sessions de l'O.N.U., il sentait tous ses chromosomes menacés dans leur avenir.

— Vous avez entendu cette logique impeccable ? disait Jean-Gabriel. Ce français sans défaillance et même ce vocabulaire élégant ! Et le tonus vital qu'il y a derrière ce regard vif ? Hein ? Toute cette puissance concentrée ?

— Ils ont dix milliards de neurones dans le cerveau, tout comme nous, dit Jérémie. Ni plus, ni moins.

— Évidemment, dit Philéas Beauregard. Le soleil se lève enfin sur l'Afrique.

— Pourvu qu'ils n'aient plus envie de nous mettre dans leur marmite, dit Jérémie, moi, les Noirs, je n'ai rien contre.

— J'en ai contre les Blancs, dit Jean-Gabriel, contre ceux qui pèsent de tout leur poids pour que nous restions confits dans l'Ordre Ancien; non, vraiment, l'époque de la tolérance est dépassée. Tout va trop vite. Si nous voulons survivre, pas en tant que Blancs — cet aspect du problème n'existe plus, déjà — mais en tant que Français, il faut avoir les Noirs avec nous, tu comprends ?

— C'est une autre sorte de racisme, alors, dit Jérémie.

— Pas un racisme de couleur. Un racisme de langue, d'esprit. Tandis que le sang des peuples va se mêler, le monde va se grouper en quelques grandes races spirituelles, diversifiées non par la religion, mais par la langue. Il y aura le groupe anglo-saxon, germain-nordique, le groupe slave, le groupe arabe, tu vois? Je tiens qu'il serait catastrophique pour le génie de la planète que la civilisation française disparaisse ou même qu'elle s'affaiblisse. La langue, c'est notre vraie race, notre vraie patrie.

— Et les Chinois, dans tout ça? demanda Jérémie.

— Les Indochinois sont nos frères, ils parlent français.

— Ici, remarque Philéas, chez nous, notre langue n'existe quasiment plus.

— Elle est comme la pluie qui tombe sur une grande étendue de sable, dit Jérémie. Nous agonisons en douce, avec morphine et tranquillisants.

— Je digère bien, moi, dit Jean-Gabriel. Et à la fin d'un bon repas, je ne suis jamais pessimiste. Si je faisais de la littérature, j'écrirais un pamphlet sur l'importance d'être nègre, avec mille excuses à Oscar Wilde.

— De l'urgence qu'il y a pour un Canadien français de se transformer en Sénégalais, dit Philéas. Il est virtuellement impossible d'être sérieux avec vous autres aujourd'hui.

À la table la plus proche mangeaient la délicieuse, l'exquise Jonquille Larramée, sa collègue et amie Paulette Porrant, éternelle soubrette, et Marie-Madeleine Demers, réalisatrice.

— Vous savez qui parle? fit Jonquille baissant la voix. C'est Duquette. Quand je l'aperçois avant une répétition, il faut qu'on me dise merde trois fois. Il me fout les foies, ce gars-là.

— Tu sais, il a refusé de réaliser le téléthéâtre du mois dernier, il s'est déclaré incompétent, dit Paulette. J'aime ça, c'est franc au moins.

— Hum… c'est Jules Desvallées qui l'a réalisé, dit Marie-Madeleine. Pas mal.

— C'était pourri. Desvallées va devenir le prochain directeur régional; c'est pas un artiste, c'est un administrateur-né. Plus on est mauvais dans la cabine, plus on est désirable dans l'Empyrée. Tu parles en niaise, tiens! Duquette aurait fait ça cent fois mieux que Desvallées, s'exclama Jonquille.

La réalisatrice, pianissimo:

— Ne regardez pas, mais Jerry Pélissier est avec lui; c'est un vieux copain. Jerry m'a dit que Duquette lui avait dit que les comédiennes…

— Ben oui! interrompit Jonquille. Il nous exècre, quoi! C'est ça, ton secret?

— Il a l'air gêné quand il me rencontre, dit Paulette. Et je le rencontre partout parce qu'il va partout et que je vais partout. Hi! Hi!

— Il fait partie de la petite bande. C'est drôle, quand même. Il y a deux mille employés dans la boîte, et c'est ce petit blond-là qu'on voit tout le temps.

— Il est partout à la fois, dit Jonquille, ou bien il a vingt frères jumeaux.

— C'est plutôt ça, mon chou, dit la réalisatrice. Tous ces petits blonds pâles se ressemblent tellement! Duquette, lui, il est secrétaire de notre association cette année. C'est le meilleur qu'on ait jamais eu, à ce qu'on dit.

— Je m'en fous, dit Jonquille. Les hommes qui ont peur des femmes et qui ne sont pas des tapettes m'emmerdent. Ça fait cinq fois qu'on me le présente; il me regarde avec de grands yeux bleus comme si… oh! et puis merde, hein?

Paulette demanda:

— Comment sais-tu que ce n'est pas une tapette?

Jonquille haussa les épaules.

— Idiote! On les connaît toutes, non? Même si on ne connaît personne d'autre, on sait tout de suite qui en est.. Je te dis que quand je le vois, j'oublie mon texte!

— C'est peut-être parce qu'il est vierge, dit Paulette. Est-ce qu'il a vingt et un ans, seulement?

— Ça t'intéresse? Perds pas tes mauvaises pensées. Tu l'as entendu? Il n'aime pas le blanc. Oh! mais, mais, mais, mais, j'ai tout à coup une riche idée! Coucher avec un Noir, ça porte chance; et coucher avec une Noire, c'est pareil. C'est un proverbe anglais. Enfin, la chance, c'est contagieux, s'pas! Il faut que Duquette rencontre Mélisande. Ce qui vaut pour le Blanc vaut pour la Noire, c'est certain. Mélisande, elle est chic fille.

Paulette regarda sa camarade avec une admiration envieuse.

— Tu as dû en passer des nègres pour avoir tout ce que tu as aujourd'hui, dit-elle.

— Pas un seul, je n'ai pas eu de chance. J'ai

travaillé, j'ai couché pour l'amour de l'art; ça s'appelle du travail.

Elle se tourna vers la éalisatrice.

— Mon chou, lui dit-elle, est-ce que tu veux me faire un gros plaisir?

— Bien volontiers, mon chou.

— Demain... non, ce soir, à sept heures, rencontre donc Duquette ici au bar, pour lui parler de... Il est secrétaire de ton truc, arrange un rendez-vous.

Paulette frotte son derrière sur sa chaise avec enthousiasme.

— Oh! Tu vas lui jouer un tour. Est-ce que je peux venir?

— Ah! non. Pas toi, mon chou. Mélisande et moi seulement. Marie-Madeleine!

— Quoi, chère?

— Veux-tu demander à Paul de le rencontrer ici, plutôt que toi? Deux hommes, deux femmes, c'est préférable.

— Très facile, mon chou. Heu... quel Paul?

— Paul... Paul, le beau Paul, celui qui joue Fringant dans *Le Banc de neige*. Enfin, tu dois bien voir? Sois pas surprise. Je ne regarde jamais la télévision, mon chou. Sauf mes commerciaux. Exception faite pour *Le Banc de neige*, à cause de Paul. Nous avons fait connaissance, il y a deux semaines.

— Je le trouverai, mon chou. Mais il n'est pas réalisateur, il est comédien; alors, sous quel prétexte...?

— Oui, oui, bon, bon, si tu ne veux pas me rendre service...

— J'ai une bonne idée, moi aussi, dit Paulette. Que ce Paul téléphone à Duquette pour lui dire : «Je veux être réalisateur, que faire?», Duquette marcherait.

— Ça va, dit Jonquille, hein, Marie-Madeleine?

— Entendu, mon chou. Et si le beau Paul est en répétition?

— Tu demanderas à mon réalisateur en titre. Ça fait longtemps qu'il essaie avec moi et ça ne me dit pas grand-chose, mais pour une fois...

— Ah, Maurice? Il va être fou de joie, mon chou!

— Je ne le sais que trop, dit Jonquille, rassemblant ses fourrures autour de ses épaules. On s'en va, ma chère?

Debout, toisant le menu peuple, elle redevint très vedette, cacha son regard derrière une paire de lunettes noires — imitée en cela par Paulette —, creusa les joues et se retira des lieux, rapide et ondulante, suivie par sa troupe.

La réalisatrice retourna à ses affaires. Jonquille et Paulette allèrent se promener rue Sherbrooke pour regarder les boutiques et pour se faire voir du public pendant une heure, avant de «reprendre le harnais», comme elles disaient.

— Si c'est Paul qui vient, remarqua Jonquille, ça sera l'arc-en-ciel dans les montagnes Rocheuses. Si c'est Maurice, je ferai la planche.

— Tu ne devrais pas t'imposer ça, dit Paulette

suppliante en s'accrochant au bras de son amie.

— Je ne te demande pas de me faire un rapport, dit Jonquille en se dégageant. Laisse mon bras, tu uses mes visons.

Philéas, Jérémie et Jean-Gabriel se séparèrent; il était une heure et demie.

Jean-Gabriel demeura seul et immobile un instant devant l'hôtel Dorchester, pour contempler une fois de plus la circulation trépidante du boulevard, les buildings de plus en plus nombreux et audacieux, la foule active, les nez rougis, les pieds bottés, enfin toute cette agitation dont il faisait partie, lui, petit gars de Sainte-Chose-de-Chose au bord de la rivière Yamaska. D'un hameau, d'un village à la métropole! Merveilleux! Il n'en croyait toujours pas ses yeux, mais qui l'eût dit, à écouter parler ce petit bout d'homme sophistiqué? Car il était maintenant un Montréalais parfaitement intégré, responsable, relativement important.

— Il y a une place pour moi au soleil, avait-il déclaré à ses meilleurs amis. Et je vais la prendre et la tenir.

Jusqu'à présent, tout allait bien pour lui.

Le beau Paul n'étant pas disponible, c'est Maurice Kelly qui lui donna rendez-vous au bar de la Régence, afin de l'entretenir d'un projet nouveau.

Jean-Gabriel fut pour le moins surpris de ce coup de téléphone. Il ne fréquentait pas les bars, ni surtout des types comme Maurice Kelly, dont le zèle vis-à-vis de l'Association des réalisateurs était plus que tiède et l'attitude anti-syndicaliste bien connue, et dont la réputation, tant morale que professionnelle, laissait à désirer.

Que peut-il bien me vouloir? se demanda-t-il. Un projet? Cela sonne faux et me voilà perplexe. Qu'ai-je à voir avec ses projets? Il aura peut-être été pris à toucher des ristournes sur le cachet d'un comédien ou d'un auteur. Ou les deux. Ou de plusieurs. Pratique courante? Peut-être. Mais ce serait bien la première fois qu'on attrape quelqu'un. Il a peut-être enflé un peu trop ses dépenses. Ça, ça ne m'étonnerait pas du tout! Alors moi, comme secrétaire, je pourrais lui donner un conseil? Dans ce cas, pourquoi ne vient-il pas à mon bureau? Ça lui semble peut-être plus naturel de discuter devant un verre d'alcool. C'est un type comme ça. Après tout, on verra bien.

Puis il chassa cet insignifiant problème de sa tête et se mit au travail.

Après son émission, *Images et voix des hommes*, qui passait sur l'écran immédiatement après les nouvelles, il mangea un sandwich et s'en fut à la Régence. Maurice Kelly n'était pas encore arrivé. Il se percha sur un tabouret.

— Un Pernod, dit-il au barman.

Il y avait dans la pièce dix ou douze personnes.

Jean-Gabriel ne put s'empêcher de voir, dans le grand miroir qui était devant lui, que deux femmes s'étaient installées à sa droite. Il n'avait pas plutôt fermé la bouche après avoir dit «un Pernod» qu'elles avaient surgi de terre, sans doute. Deux femmes : une Blanche et une Noire. La Noire se mit à côté de lui.

Il dut reconnaître en la Blanche une comédienne qu'il avait vue cent fois, dont il faisait mine chaque fois d'oublier le nom et qui lui avait déjà griffé le cou, en passant derrière lui, sous prétexte qu'il avait sur le col une mouche ou une tache. En trois mots, c'était une peste. La Noire, en revanche, il ne l'avait jamais vue ; mais, craignant de rencontrer le regard de la Blanche, il tourna légèrement le corps vers la porte d'entrée.

— Votre Pernod, monsieur, dit le barman.

— Il va l'ingurgiter par l'oreille, dit Jonquille.

— Oh ! Laisse donc le pauvre petit poussin qui a perdu sa mère poule, dit la Noire, de la voix la plus musicale du monde.

Jean-Gabriel résolut de faire le sourd, de vider son verre et de s'en aller sans plus attendre, lorsque Maurice Kelly s'approcha de lui.

— J'ai au moins trois minutes de retard, mon vieux. Tu en est à ton combientième ?

— À mon premier et dernier, répliqua fermement Jean-Gabriel. Allons à une petite table. On ne peut pas parler ici.

— À ton aise. Oh ! mais qui voilà ? Ah ! Ah ! Jonquille, Mélisande, que je vous baise les mains à toutes les deux. Miam ! Miam ! Jean-Gabriel !

Maintenu sur son pivot par une main, hélas, très ferme, un verre à la main et les jambes pendantes battant l'air, Jean-Gabriel dut faire front.

— Mesdames, Jean-Gabriel Duquette. Tu connais Jonquille Larramée, s'pas Jigé? Notre Miss Radio-Télévision de cette année, belle comme le jour? Bien sûr. Et je te présente l'unique et fantastique Mélisande, Mélisande belle comme la nuit. Qui sont les cochons qui vous font attendre? On va vous tenir compagnie et je leur dirai ce que je pense d'eux quand ils se montreront la face. On n'abandonne pas des femmes, comme ça, toutes seules, au bar. Hein, Jigé? Qu'est-ce que vous buvez, mes jolies? Champagne? Vodka?

Elles s'adressèrent directement au barman et Maurice dit à Jean-Gabriel:

— Ce ne sera pas long, mon p'tit père. Et c'est un interlude agréable, hein? Et imprévu! Ah! l'imprévu, c'est ce qui rend la vie… heu… agréable, quoi!

Mélisande, drapée dans une robe pervenche à fines épaulettes, était une Vénus haïtienne débarquée depuis peu. Inscrite à l'École d'art dramatique, elle faisait de la figuration, en attendant mieux.

Elle parlait un français gazouillant et imagé, grammaticalement impeccable, et même presque classique.

Ses cheveux très courts étaient crépus et brillants, ses yeux, ses lèvres, ses dents étincelaient.

Jean-Gabriel n'en pouvait détacher son regard. Il lui trouva le nez très beau. Il n'osa pas regarder plus bas que le cou, brune et souple colonne, parce que ce qu'il avait aperçu du reste de sa personne, d'un coup d'oeil rapide, c'était, mon Dieu, fantastique, fantastique! Maurice avait bien dit.

— Maurice, dit Jonquille, à propos des copains qui nous laissent tomber ce soir, selon toute apparence, je vais t'expliquer. À l'oreille, allons, penche-toi.

Maurice s'inclina pour avoir l'air de recueillir une confidence et s'exclama aussitôt:

— Non! Les salauds! Je leur taperai sur la gueule, moi!

Comme si elle savait de quoi il s'agissait, Mélisande murmura:

— Mais pas du tout, Maurice, car cela n'a plus la moindre importance.

Puis elle sourit à Jean-Gabriel qui demanda:

— Que se passe-t-il?

— Oh! rien, mon p'tit père, je m'en occuperai.

— C'est vrai, cela ne me regarde pas, dit Jean-Gabriel.

— Évidemment, si tout le monde s'en lave les mains, s'écria Jonquille, on n'en aura pas fini de sitôt avec les préjugés de race.

— Comment? fit-il, alerté; mais, expliquez-moi...

— Non, non. Laisse donc. J'irai au fond de l'affaire, moi, dit Maurice.

— Ben oui, dit Jonquille. Après tout, elle a le droit de vivre comme tout le monde. Il faut bien qu'elle mange, elle aussi.

Jean-Gabriel s'imagina qu'il comprenait à demi-mot et offrit ses services.

— Oh! Là, là, là, là, mais non! Mais pas du tout. Il ne faut pas que tout le monde se fâche à cause de moi, protesta Mélisande, melliflue. Vous êtes trop gentils, tous. Mais songez que de telles mésaventures me sont arrivées quelquefois, depuis que je vis ici, et que je n'en suis pas morte. Ce serait bien pire si j'étudiais aux États-Unis, ne croyez-vous pas? J'ai tant de bonheur d'avoir trouvé dans votre magnifique pays de si grands maîtres et de si merveilleux amis!

Chic fille! pensa Jean-Gabriel. Ce n'est pas tous les jours qu'un étranger qui nous voit de près juge notre pays magnifique, nos maîtres si grands, ah! ça, surtout... ni que nous sommes pour lui de si merveilleux amis. Sait-elle bien où elle est seulement? Et tout haut, il dit:

— Il faudrait peut-être m'expliquer? Je me perds en conjectures.

Mélisande le remercia d'un sourire et lui pressa la main doucement, avec une très légère insistance.

— Vous êtes vraiment très mignon.

Jean-Gabriel resta figé d'étonnement, car lorqu'il avait vu et senti la main brune sur sa main blanche, un courant électrique l'avait parcouru des pieds à la tête. Il avait donc du sang dans les veines et des muscles quelque part? Et des nerfs à fleur de peau? Et un coeur qui pouvait palpiter?

— Je suis très touchée, dit encore Mélisande.

Ces gentillesses que l'on me fait parfois remplacent dans mon coeur le soleil de mon pays. Ce soir en m'endormant, j'y penserai et je me sentirai toute réchauffée, à l'abri comme un oiseau dans son nid.

Un oiseau des Îles, pensa Jean-Gabriel. Elle ne peut pas être comédienne.

— Vous êtes donc comédienne?

— En réalité, je suis plutôt chanteuse.

— Ah! chanteuse!

Comme elle doit chanter bien, pensa-t-il.

— Excusez-moi un moment, dit Jonquille. Nous revenons tout de suite, tu viens, Maurice?

Elle alla au vestiaire prendre son manteau et sortit de l'hôtel, suivie de son réalisateur attitré, comme elle l'appelait.

— Il a tellement mordu que ç'en est presque comique, dit-elle. Mélisande va n'en faire qu'une bouchée. Au fond, c'est un service que je lui ai rendu, à ce petit puceau. Allons chez Bourgetel, Maurice, j'ai faim.

— Allons manger, *you million-dollar-looking baby*! s'écria le comparse. Huîtres, tournedos, champagne et caetera, et après, hein? Après…!

— Après, c'est après, dit Jonquille. Pas la peine d'y penser d'avance.

Quelle poésie! songeait Jean-Gabriel, tandis que Mélisande lui parlait. Quel charme! Quelle chaleur! Que dirait mon grand Ivanovski de cette aventure imprévue?

Puis le mot qu'il prononçait dans sa tête le

frappa.

L'imprévu, l'imprévu. Maurice Kelly a parlé d'imprévu.

— Mais il n'y a pas d'imprévu, s'écria-t-il soudain.

— Comment?

— Répondez-moi franchement, Mélisande. Puis-je vous appeler Mélisande, moi aussi? J'ai l'impression d'avoir été le spectateur d'une mise en scène. Je crois que vous ne deviez rencontrer personne d'autre que moi ce soir. Suis-je dans l'erreur?

Il soignait particulièrement son langage. Elle s'inclina vers lui.

— Pourquoi me le demandez-vous?

— Parce que je crois que vous êtes régulière. En revanche, le rôle d'intrigant serait assez l'emploi de Maurice Kelly, d'après ce que je sais de lui. Il me connaît moins bien que je ne le connais, puisqu'il m'a cru plus bête que je ne suis. Dites-moi la vraie raison de ce petit complot.

— Je l'ignore, dit sincèrement Mélisande. Jonquille m'a téléphoné. «Je veux te faire connaître des Anglais charmants, m'a-t-elle dit, ils sont du métier et ils pourraient t'aider.» Ici, nous nous sommes d'abord assises à une petite table et comme il ne venait personne, elle a dit encore: «Ils se sont dégonflés. Ils n'ont pas voulu se montrer en public avec une Noire.»

— Je n'aime pas beaucoup les Canadiens anglais. Mais que, dans le monde des artistes, il s'en trouve qui aient des préjugés racistes, cela m'étonne. Et alors?

— Et alors, lorsque vous êtes arrivé, elle m'a dit: «Allons au bar, je connais ce petit blond, il adore la taquinerie. Allons l'agacer.»

Jean-Gabriel se mit à rire.

— Tout cela n'est pas très clair, dit-il. Si je ne connaissais l'ineptie de Kelly, je pourrais croire qu'il a deviné que j'aurais tout de suite l'idée de vous faire passer à mon émission la plus importante.

— Oh! mais je suis trop peu intéressante, voyons! *Images et voix des hommes*, c'est très sérieux.

Aussi modeste que... fantastique, pensa Jean-Gabriel.

— Pas vous toute seule. Je vais tout bonnement concrétiser une idée qui me trotte dans la tête depuis longtemps: présenter des étudiants étrangers, de préférence, des... c'est-à-dire des Asiatiques, des Africains, heu, vous voyez?

— Des gens de couleur, dit Mélisande, très simplement. Oui, je vois.

Que je suis bête, pensa Jean-Gabriel, désolé.

— Non, pas forcément, dit-il. Il faudrait que je vous explique. Tenez, voulez-vous dîner avec moi? Tudieu! Il est huit heures. Vous devez mourir de faim.

Elle rit et cligna de l'oeil.

— J'ai un appétit d'oiseau. Jugez s'il est grand.

— Je téléphonerai à ma soeur pour lui dire que

je ne rentre pas tout de suite, tandis que vous serez au vestiaire. Je n'ai nulle envie de me faire taquiner par Kelly et compagnie, alors, partons sans attendre les autres, voulez-vous?

— J'en serais ravie. Êtes-vous sûr qu'ils ne seront pas blessés?

— C'est le moindre de mes soucis. Hâtons-nous, dit Jean-Gabriel.

Beaucoup plus tard, sortant du Bristol où ils avaient mangé une excellente goulache, Mélisande et Jean-Gabriel firent quelques pas dans la rue de la Montagne.

Il disait:

— Les Haïtiennes n'ont jamais eu à se plaindre des Canadiens français jusqu'à présent. Du moins, je le pense. Quand j'étais à l'université, Haïti avait la cote d'amour. L'Algérie aussi, et le Maroc. Je ne peux pas me montrer moins galant que mes concitoyens.

Et faisant un geste large, il précisa:

— Je vais vous reconduire en taxi.

— Vous êtes candide, Jean-Gabriel. Et vous êtes aussi un original.

— Original? Peut-être bien, au fond. Mais qu'est-ce qui vous le fait croire?

— Vous n'avez pas d'automobile.

— Les Canadiens n'ont pas tous des autos. Du reste, moi, j'en ai une, une petite Renault. En hiver, je ne la sors pas souvent, je la remise dans le garage de ma soeur. J'habite avec ma soeur et son mari.

Un jour, si vous voulez vous promener, je vous montrerai les Laurentides. Quand il fait beau, la neige, les chalets de toutes les couleurs, les sapins, les skieurs, c'est un joli coup d'oeil.

— Oh! oui. J'aimerais bien faire cette promenade avec vous.

S'il n'était pas tellement tard, pensa-t-il, je l'emmènerais veiller à la maison. Elle plairait à Marie-Ange et à Robert. Et même aux enfants. Eux, pourtant, il faudrait les prévenir. On ne sait jamais ce qu'un enfant va dire quand il voit quelque chose de près pour la première fois.

Dans le taxi, Mélisande frissonna.

— Comme je voudrais m'habituer au froid! soupira-t-elle.

— Nous avons beaucoup d'affinités, me semble-t-il. Moi aussi, j'ai le froid en sainte horreur. Si c'était possible, j'hibernerais comme un ours. Rapprochez-vous de moi. Non, c'est moi qui me rapproche. Ah! ça va mieux ainsi?

Elle est frileuse et délicate comme une orchidée, pensa-t-il. Tudieu! Je deviens poète, positivement, comme dirait mon bon Philéas.

Mélisande habitait un immeuble très moderne, percé de larges fenêtres et bâti contre le roc du mont Royal, non loin du cimetière de la Côte-des-Neiges. Elle invita Jean-Gabriel à venir se réchauffer quelques minutes au coin du feu et à boire de l'eau-de-vie d'Haïti dans un verre grand comme un dé à coudre. L'invitation était bien tentante. Il accepta et se demanda avec quelle famille, certainement cossue, Mélisande pouvait bien loger.

L'appartement avait un beau vestibule orné de masques d'ébène et de tapis crochetés d'un style qu'il ne connaissait pas et qui s'ouvrait sur une vaste salle de séjour en quart de lune où s'élevait une cheminée de pierres blanches. Mélisande fit flamber aussitôt quelques bûches, et c'est sur un divan gris — profond comme un tombeau, pensa-t-il — que Jean-Gabriel fut invité à s'asseoir.

Il y avait le long d'un mur un meuble en bois de teck renfermant un appareil stéréo de haute fidélité. Elle le mit en marche :

— Mindru Katz jouant la suite d'Enesco, dit-elle.

— Ah, oui ? Superbe !

— Vous auriez préféré de la musique haïtienne ? Elle est un peu frénétique, vous savez.

— Très juste. Et il ne faut réveiller personne.

Outre celle du vestibule, la pièce avait deux issues. Les autres occupants des lieux n'avaient pas l'air de venir.

— Il n'est que dix heures, remarqua-t-il. Mais bien des gens aiment à se coucher tôt.

— Voulez-vous goûter ceci ? C'est fort mais c'est bon, n'est-ce pas ?

Cela lui brûla l'oesophage, et le verre était plus grand qu'un dé. Il le vida et hocha la tête affirmativement.

Mélisande but à son tour et ensuite elle éteignit toutes les lampes.

— Il faut regarder le feu sans aucune autre lumière autour, dit-elle. C'est mille fois plus intime.

Assise à côté de lui, son regard fixait tranquillement les flammes.

Ce lourdeau de Kelly a dit quelque chose de vrai, pensa-t-il. Elle est belle comme la nuit. Comme la nuit tropicale, certainement. Tout ce qu'il voyait de sa peau sombre miroitait à la lueur du feu de bois. Il étendit la main et lui effleura l'épaule. Elle sursauta et tourna la tête, toujours en souriant.

— Pardon, dit Jean-Gabriel. Il faut que je m'en aille. Je vous retiens depuis assez longtemps.

Elle a sursauté. Je l'assomme. Elle est trop bien élevée pour me le dire, pensa-t-il.

Il chercha à rassembler ses forces, à se lever.

— Alors, c'est entendu? Vous viendrez à mon bureau et nous irons voir Jules Desvallées ensemble. Il trouvera pour vous… quelque chose, enfin, un petit, un grand…

— Oh! Comme si ces questions-là étaient primordiales, dit Mélisande. Ne croyez pas que la télévision soit une nécessité vitale pour moi.

— J'avais compris…

— Eh bien, non. Heureusement pas.

Où veut-elle en venir? pensa-t-il. Tudieu! Si elle pense que…

— Je ne suis pas Maurice Kelly, s'écria-t-il. Il y a quand même encore quelques gars propres à Radio-Canada. Je veux dire, pas trop solennellement, que vous pouvez compter sur mon appui très fraternel.

— Merci pour votre appui. Mais pourquoi fraternel?

— Tous les hommes sont frères, dit-il.

— Je ne le savais pas. Mais je sais toutefois que tous les hommes ne sont pas forcément frères de toutes les femmes.

— Suis-je sot! pensa-t-il. Elle n'est pas rassurée du tout.

— Je vous semble donc si différente, reprit-elle, si lointaine ou si étrangère que vous ne cessez de me dire de toutes les façons possibles que je ne le suis pas?

— Mais…!

— La couleur de ma peau vous fait-elle peur?

— Un peu, dit Jean-Gabriel, déconcerté.

— La trouvez-vous laide?

— Oh! oh! non. Très belle, au contraire, dit-il avec ferveur.

Il ferma les yeux et ajouta:

— Quand j'ai du tact, je n'ai pas de trac.

Elle éclata de rire. Il se redressa:

— Je suis ridicule. Excusez-moi. Bonsoir et merci mille fois.

Elle le tira par le veston. Il retomba sur le divan et se mit soudainement à rire à son tour.

— Vous avez l'air espiègle comme un petit garçon, dit Mélisande. Il faut rire plus souvent.

Elle lui dénoua la cravate, avança un long doigt brun et le lui passa sous le nez dans un mouvement vif et léger.

— Petite moustache blonde, dit-elle.

Elle entassa quelques coussins à l'une des extrémités du divan et s'y renversa.

Tous ses gestes sont souples, pensa Jean-Gabriel, absolument fasciné.

— Pourquoi avez-vous ri? demanda-t-elle.

— C'est drôle de se faire rasseoir comme tantôt. C'est la première fois que ça m'arrive.

— Moi, c'est la première fois que j'intimide un garçon à ce point. J'ai l'impression qu'il y a beaucoup de premières fois pour nous deux, ce soir. Faisons connaissance?

— Je ne demande pas mieux. J'avais peur de vous embêter.

— À quoi pensez-vous quand vous me regardez?

Jean-Gabriel détourna les yeux.

— C'est difficile à exprimer. Le contraste de votre peau avec votre robe bleue et les coussins gris argent, vos grands pendants d'oreille en or, votre rouge à lèvres et le blanc de vos yeux à la lumière du feu : je pense que c'est beau, c'est tout. Je ne peux pas intellectualiser mes sensations mieux que cela. Je ne suis pas écrivain. Je ne suis pas peintre. Je ne suis vraiment pas un artiste.

— Mais vous êtes étonnant. C'est très étonnant ce que vous dites.

— Je m'étonne moi-même.

— Qui croyez-vous être, vraiment?

— Je l'ignore. Le droit constitutionnel m'intéressait et...

Une demi-heure plus tard, Mélisande ôta ses escarpins de soie bleue et dit :

— Faites comme moi, Jean-Gabriel. Enlevez vos chaussures. Vous serez tellement plus à l'aise. C'est amusant de s'asseoir sur ses talons et de mettre les pieds sur les meubles. Vous disiez qu'en politique internationale, le Canada est tributaire de...

Trente minutes plus tard, elle alla chercher une mandoline et se percha sur le bras d'un énorme fauteuil carré.

Les ongles de ses doigts de pieds comme ceux de ses mains étaient vernis de rose nacré. Elle croisa les jambes et retroussa au-dessus de son genou la jupe de sa robe qui retomba de chaque côté.

— Ajoutez donc un peu de bois, ordonna-t-elle gentiment, sinon le feu va mourir. Nos rythmes sont extrêmement simples. Écoutez.

Jean-Gabriel avait enlevé son veston depuis un bon moment. Assis en tailleur, il écouta la chanson qu'elle avait choisie pour illustrer son propos, lequel était l'influence de la libération des esclaves sur le folklore haïtien. La politique les avait menés là sans peine aucune.

Il buvait également son quatrième petit verre d'alcool.

À minuit, la conversation n'avait cessé de rebondir. Tout en devisant, Mélisande et Jean-Gabriel tour à tour avaient entretenu le feu, rempli des verres, allumé une lampe pour regarder un album, fait tourner un disque, éteint la lampe.

Quand elle s'était mise à chanter, Jean-Gabriel avait pensé : «Ah! qu'elle chante bien. C'est comme des clochettes.»

— Il est minuit, dit-elle. Voulez-vous m'aider, Jean-Gabriel ?

Il s'étira.

— Volontiers, à quoi faire ?

Elle l'entraîna dans la cuisine où elle prépara un plateau de fruits et de noix, de pains croustillants et de fromages divers, à quoi elle ajouta, la sortant du frigidaire, une bouteille de vin.

— Du Pouilly, dit-elle. Je l'aime glacé. Je l'adore.

Ils s'installèrent sur la moquette, devant la cheminée, pour goûter, grignoter et croquer.

Jonquille et Maurice Kelly sortaient d'une maison de rapport luxueuse et mal famée où Kelly avait ses pénates. Dans une voiture prétentieuse et d'ailleurs confortable, ils poursuivirent leur discussion — à peine interrompue quelques minutes par ce que Jonquille appelait les exigences du métier. Discussion qui portait principalement sur les rôles de Jonquille, sur ses robes, ses besoins d'argent, sa beauté ainsi que sur les habitudes sexuelles des gens qu'ils connaissaient.

— Mélisande, c'est une drôle de cavalière, dit Jonquille. Évidemment, elle est bien, elle a les seins en poires, elle ne porte pas de soutien-gorge; mais son derrière est trop rond. Ils doivent être tordants ensemble. Elle a dû le violer. Dommage qu'on ne puisse pas voir ça.

Jean-Gabriel, peu accoutumé au vin, moins encore aux tête-à-tête, se sentait vaseux.

Il s'appuya au divan et croisa les bras.

— On ne se connaît vraiment bien que lorsqu'on s'est dit ce que l'on pense de l'amour, dit Mélisande.

— Je ne sais pas ce que c'est, l'amour, murmura-t-il.

— Est-ce qu'on sait jamais ce que c'est?

Il étendit la main de nouveau et lui flatta la tête.

— Mélisande, dit-il, tu es toute frisée comme un caniche. Mélisande... c'est merveilleux que tes cheveux soient si courts, plus courts que les miens, et qu'ils ne soient pas défrisés comme ceux de toutes les autres négresses qu'on voit partout. Mélisandre, es-tu contente d'être noire?

— Tu es bête, mon poussin.

Il en convint. Il avait mis beaucoup de temps à comprendre qu'elle vivait seule dans ce bel appartement, à comprendre aussi que...

Qu'y a-t-il à comprendre, au fond? pensa-t-il.

Il se laissa glisser par terre.

La langue de Mélisande était rose et fraîche comme une tranche de pastèque.

IV

Sur la table il y avait un sac en gros papier brun, un de ces sacs à poignées de ficelle comme on en vend pour cinq sous dans les supermarchés. Ce sac-là, horizontalement placé, venait de chez Steinberg, et Patapon y dormait, gavé de sardines.

— Dors bien, mon gras, gros rond chaton, dit Jean-Loup Reider, en flattant son nez chaud et humide, car les chats ont le nez chaud quand ils dorment, et froid quand ils sont éveillés et en bonne santé.

Patapon ouvrit les yeux, miroirs convexes noirs cerclés de jaune, et poussa un ronron exagéré qui signifiait : « Je t'aime bien, mais fiche-moi la paix. »

Jean-Loup s'assura que l'eau du récipient d'aluminium était fraîche, laissa la lumière allumée dans la cuisine et s'en fut à grands pas dans la rue pour attraper l'autobus.

Deux heures plus tard, il se leva de table en même temps que son oncle. Il avait bien dîné. Il suivit son oncle dans la bibliothèque.

— On fait une partie ? demanda-t-il, selon le rituel, en montrant la table où étaient dressées les pièces d'un magnifique jeu d'échecs.

— Un cognac, d'abord, mon neveu ?

Jean-Loup accepta et, réchauffant son verre entre ses paumes, s'appuya au dossier d'une bergère tendue de satin vert et ivoire.

Le chanoine Denonceau s'installa devant lui dans un fauteuil.

— J'ai reçu une bonne lettre de ta maman, dit-il. Ce matin même. Elle s'inquiète à ton sujet.

— Comment ça ? Elle m'a écrit il y a huit jours, et moi, au début de la semaine, je pense. Je lui écris toutes les semaines.

— Ce n'est pas de ta santé qu'elle s'inquiète, c'est de ton avenir, de ton bonheur. Cela se comprend. Elle n'a que toi.

Jean-Loup humait sa fine Napoléon. Il ne pouvait se représenter l'inquiétude maternelle. Il évoqua mentalement l'image de sa mère : une femme grande, forte, avec des yeux clairs constamment en éveil, amusés, où se mélangeaient heureusement l'affection, la tolérance et l'humour, une bouche large et volontiers souriante, des cheveux très courts, ondulés par la nature, gris fer maintenant ; une femme tranquille et solide, maternelle avec son mari, fraternelle avec son fils.

— Elle voudrait que je me marie, c'est ça ? demanda-t-il.

Le chanoine avait allumé un cigare.

— Eh bien ! mais tu as trente-deux ans, mon neveu ! Il est temps de t'établir. Il faut prendre une décision.

C'est sur la recommandation d'un clerc bien placé à l'université et ami de son oncle que Jean-Loup avait obtenu un poste de professeur à temps partiel. La conversion espérée se faisait attendre, mais le chanoine Denonceau ne désespérait pas de ramener au sein de l'Église ce fils unique de sa soeur transfuge.

— Y penses-tu un peu, à ton avenir? fit-il.

— Question mariage, dit Jean-Loup, en vérité, pas beaucoup. Je ne connais personne, du reste.

— Toutes les jeunes filles bien de notre société sont de bonnes catholiques, du moins, je l'espère. Cela entre en considération. Maintenant, je ne pense pas que tu puisses dire en toute bonne foi que les occasions de faire un choix t'ont manqué. Si tu ne l'as pas fait, c'est que tu avais la tête ailleurs. Rien ne t'oblige, c'est entendu, mais ce serait dans l'ordre normal des choses que tu fondes un foyer. Ta maman songe à ton bonheur, ça aussi c'est normal. J'y songe de même. Ton père aussi, bien entendu.

Jean-Loup se servait de l'université comme d'un tremplin. Son poste lui donnait un standing qui l'avait beaucoup aidé quand il s'était agi de placer ses scripts et ses conférences. À la télévision, où il apparaissait souvent, il faisait figure d'expert en économie politique. Sans l'université comme support, il aurait mis deux fois plus de temps à gravir les échelons d'une renommée toute locale et relative, il est vrai, mais qui lui valait à tout bout de champ d'être invité à faire partie d'un jury littéraire, d'un forum ou d'un congrès à titre officiel. Sa position, il la devait en grande partie à son oncle, il le savait bien, tout comme il savait aussi que son contrat avec l'université pouvait être résilié, et que son avenir dépendait dans une certaine mesure d'une décision qui restait à prendre.

— Mon oncle, dit-il à brûle-pourpoint, l'université vaut-elle une messe?

Le chanoine sourit, prit un peu de cognac et le laissa un instant dans sa bouche avant de l'avaler.

— Nous sommes bien entre nous, dit-il. J'accepte ta boutade pour ce qu'elle vaut. Mais puisque nous sommes sur le sujet, dis-moi donc à quel point tu prends au sérieux la question religieuse?

— Je ne suis pas sûr que la question religieuse en soit une bien sérieuse. Mon saint homme de père bondirait sans doute s'il m'entendait.

— J'en suis persuadé, car c'est un homme de bonne foi et de bonne volonté, dit le chanoine. Un grand chrétien, je n'en doute pas, sinon, pour le suivre, ta maman n'aurait pas abandonné la foi de son enfance. D'autant moins qu'elle était la plus pieuse des jeunes filles. Je suis obligé de croire qu'elle est tombée dans l'erreur. Mais la tendresse que j'ai pour elle n'a jamais fléchi, tu le sais. Dieu tiendra compte de sa grande charité, de sa droiture foncière. D'autre part, l'affection que je porte à ma soeur s'est tout naturellement étendue à toi, son fils. D'ailleurs, quoi que tu décides, tu es mon héritier, tu le sais, car en cette matière, j'ai des principes d'un autre siècle.

Jean-Loup sourit largement.

— Mais oui, poursuivit le chanoine, c'est pourquoi je te parle non seulement d'homme à homme, mais d'oncle à neveu, en toute simplicité, comme d'habitude, et quel que soit le sujet traité entre nous. Parle-moi aussi franchement. Quelle objection as-tu à devenir catholique?

— Aucune, en principe, dit Jean-Loup, sinon que je suis de l'Église réformée. Toutes les religions se valent, s'il faut absolument en pratiquer une; j'entends toutes les grandes religions de l'humanité, je ne parle pas du vaudou.

— Tu as raison, dit son oncle, laissons là le vaudou. Je ne te cache pas qu'une très belle carrière à l'Université de Montréal pourrait s'ouvrir devant toi si tu consentais à t'instruire dans notre sainte religion.

— Mais, je consens! J'ai consenti dès le début. J'ai lu je ne sais combien de livres et j'ai eu au moins dix conversations avec votre savant ami, le père Poitras, s.j. J'ai l'esprit assez ouvert, je pense.

— Sans doute, sans doute. On ne peut nier que tu aies l'esprit ouvert. Mais il faut bien admettre que ces conversations n'ont abouti à rien. Le père Poitras est cependant un grand convertisseur.

— Il est à la fois trop simple et pas assez simple. Son truc est cousu de fil blanc. Et quand il croit que le poisson mord, il tire trop fort sur la ligne.

Ces paroles eurent l'heur de déclencher le rire du chanoine.

— Pauvre père Poitras, dit-il en s'essuyant les yeux.

Et quand il eut repris contenance:

— C'est un homme animé d'un zèle contagieux, remarqua-t-il. Mais il est possible, après tout, que

Dieu veuille se servir d'un autre serviteur ou d'un autre moyen pour t'attirer à Lui.

— Vous parlez comme si je n'étais pas acquis à Dieu, mon oncle.

— Je suis sûr que tu l'es, Jean-Loup. Mais parlons net : où en es-tu? Je ne veux pas te presser, ne pense surtout pas cela. Regardons, si tu veux, le côté pratique de la question. Le catholicisme est la religion de la majorité des Canadiens français, et si tu veux te tailler une place à la mesure de tes talents, eh bien, il va de soi que tu le feras d'autant plus facilement que tu ne te mettras pas en opposition avec l'ordre établi.

Jean-Loup suivait le dessin du tapis de Turquie qu'il avait sous les pieds et sirotait lentement son alcool.

— Je montre de la bonne volonté, il me semble, dit-il enfin. Je ne peux pas me forcer, faire semblant, ce serait malhonnête. D'autres l'ont fait, je sais bien. Moi, je tiens tout de même à ma bonne conscience.

— Qui oserait te demander plus que cela? s'écria le chanoine.

— Et puis, il y a mon père.

— Un homme que je respecte, que j'admire, qui a l'âme généreuse, une grande compréhension des choses humaines et des réalités.

— Je suis extrêmement prudent quand je donne mes cours.

— Oui, oui, je sais.

— Ah! vous savez? J'ai même cité quelques encycliques. Je ne me hasarde nullement, soyez-en certain. De temps à autre, je vois entrer une soutane que je ne connais pas : l'oeil de Rome. Oh! je connais la méthode à employer et celle qu'on emploie avec moi. C'est tout à fait pareil pour mes confrères de philosophie. Eux aussi, ils se tiennent sur leurs gardes. Si on n'espérait pas en faire quelque chose de cette université et si on n'en avait pas besoin, dans certains cas comme dans le mien par exemple, on ferait un autre métier et il n'y resterait plus grand monde. D'ailleurs, les meilleurs s'en vont.

— Tu es sévère, dit le chanoine. Et tu m'étonnes, parce que, pour une fois, tu manques d'objectivité. Voyons, réfléchis un peu. Si une surveillance ne s'exerçait pas, constante et discrète, sur tout ce qui s'enseigne à l'université, il s'ensuivrait un déploiement d'idées plus ou moins orthodoxes : l'athéisme, ferment latent, s'y donnerait toute licence et des courants révolutionnaires auraient tôt fait de dévaler la montagne pour se répandre sur notre société tout entière. Est-ce que le reste du monde n'est pas assez troublé comme cela?

À cette question, il était certes malaisé de répondre et Jean-Loup ne l'eût pu faire sans appeler à sa rescousse Voltaire, Spinoza, Freud, Darwin, Marx, Russell, les Huxley, Teilhard de Chardin, Jean Rostand et tutti quanti, sans parler de Dostoïevski. D'ailleurs, il préférait pour le moment garder ses opinions pour lui, et il en avait sur la matière! Il aimait son oncle. Il tenait à sa situation. Il tenait aussi à ses idées, dont certaines étaient des convictions, et il bridait son impétuosité. L'Université de Montréal, pensait-il, n'aurait pas toujours une charte romaine. Avant bien des années, elle deviendrait l'Université de l'État du Québec. C'est à ce moment-là qu'il serait vraiment intéressant d'être professeur agrégé. En attendant, il s'agissait pour lui de se maintenir en place, un peu comme sur une corde raide.

Il allait à l'encontre de sa franchise naturelle, de son sens de l'honneur en ayant l'air de marchander ainsi son âme. Mais il existait dans son esprit un état de guerre entre le clergé et lui, et sa conversion plus ou moins prochaine, c'était une ruse de guerre.

Il savait bien, en son for intérieur, que ni son père ni sa mère n'approuveraient de tels calculs. Il pensa à ses parents et en éprouva une gêne.

— Si tous les prêtres étaient comme l'abbé Pierre, dit-il tout à coup, je serais avec eux, cent pour cent.

— Cependant, dit le chanoine, toujours avec son sourire bon enfant et sa voix basse de fumeur de cigare, cependant, tu es ici avec moi ce soir. Tu n'es pas avec l'abbé Pierre.

— Vous êtes mon oncle, ce n'est pas pareil.

— Tu ne t'en tires pas très bien, mon vieux, reprit son oncle.

— Bon, d'accord. Je suis un lâche. Vous m'avez coincé. Je vais vous acculer au mur à mon tour, vous permettez?

— Tous les coups sont permis, dit en riant le chanoine.

— Alors, dites-moi, vous y croyez, vous, à l'Église romaine?

— Est-ce que je n'aurais pas pu faire mon chemin autrement qu'avec cette soutane? Qui me l'a fait endosser sinon la foi? Mais oui, j'y crois. J'ai la foi d'un enfant de cinq ans. C'est la seule qui ne puisse pas être ébranlée.

— Et pourtant, vous êtes un théologien réputé, dit Jean-Loup en désignant les rayons chargés de livres qui couvraient trois des murs de la pièce. À quoi bon la théologie?

— C'est une spécialité, dit simplement son oncle. Celui qui a la foi du charbonnier n'a pas plus besoin de théologie qu'un homme bien portant n'a besoin d'un endocrinologue. Il y a d'ailleurs des théologiens dans la religion de ton père, dans toutes les religions, sauf peut-être l'Islam. La croyance en Dieu est propre à l'homme. Et l'homme a besoin de tout s'expliquer. Est-ce la théologie qui fait obstacle à ton entrée dans l'Église?

— Je ne sais pas, mon oncle. Je ne le crois pas. Je ne sais même plus si mes réticences ont une raison valable. Si toutes les religions se valent...

Le chanoine posa son cigare dans un cendrier et se cala dans son fauteuil. Il se croisa les mains sur son ventre un tantinet bedonnant, entouré d'une ceinture violette. Les questions et les hésitations de son neveu lui plaisaient.

Il se fera peut-être catholique par intérêt, pensa-t-il, mais, Dieu voulant et mes humbles prières aidant, la grâce descendra en lui au moment du baptême.

— Et puis, à part ça, mon neveu, n'y a-t-il pas autre chose qui t'arrête?

— Autre chose comme quoi?

— Le problème de la chair, par exemple. Tu as de bonnes habitudes, j'en suis sûr, tu es sain, honnête, le fils de ma soeur ne saurait être autrement. Toutefois, la nature est exigeante et lorsque les convictions religieuses ne viennent pas au secours de la morale naturelle, il s'ensuit d'ordinaire un relâchement dans les moeurs.

— Vous me confessez, mon oncle, dit Jean-Loup, amusé.

— Tout comme. Et le secret t'est garanti.

— Eh bien oui, là! Vous êtes un peu trop dur, vous autres, avec les péchés mortels. Bon Dieu! je ne suis pas un coureur, tant s'en faut! Mais il faut bien coucher avec une fille de temps à autre, question d'équilibre. C'est pour moi un simple exercice de prophylaxie, je vous assure. Cela détend les nerfs, mais ça n'a rien d'emballant. Du moins, pas pour moi. Pas jusqu'à présent. Et, vous savez, quand on ne veut pas s'engager dans les allées sentimentales, on prend ses partenaires où on les trouve, un peu comme ça, au hasard. Je fais énormément de sport, comme vous le savez. J'utilise surtout mon trop-plein d'énergie de cette manière-là.

— Et, sans indiscrétion, ta gymnastique prophy-lactique, tu la fais combien de fois, mettons, dans un mois?

— Mon oncle, vous n'y êtes pas du tout. Voyons, si j'ai couché avec une fille, et pas avec la même, trois ou quatre fois par année, c'est un maximum.

Le chanoine Denonceau, considérant son neveu, dissimulait son immense satisfaction.

— J'espère, dit-il, prenant un ton sévère, que tu n'entreprends jamais de bonnes jeunes filles, que tu n'en as pas détourné une seule du droit chemin?

— Pas fou, dit Jean-Loup. Les gourgandines ne manquent pas. Je fais signe à un copain médecin lors-que, enfin, vous m'entendez? Il a toujours une ou deux infirmières sous la main. Celles dont je parle connaissent le tabac, si j'ose dire.

Son oncle fit un geste plein d'onction.

— Garde-toi bien de médire d'une si noble pro-fession, Jean-Loup, et de la juger sur le comporte-ment de quelques malheureuses.

— Comme vous voudrez, mon oncle, dit Jean-Loup qui croyait savoir à quoi s'en tenir là-dessus.

Le chanoine se remémora les lettres accompa-gnées de photographies que lui envoyait sa soeur, toutes à la louange du fils unique: «Il a en monta-gne l'endurance et la sûreté du chamois, écrivait-elle, sur une pente de ski, l'élégance d'une mouette et dans l'eau, le souffle et la rapidité d'un marsouin.»

Jean-Loup avait les cheveux châtains coupés en brosse, les yeux bleu acier et le nez droit, la bouche bien fendue, la mâchoire carrée, le teint perpétuellement hâlé, l'ossature grosse et les muscles à toute épreuve.

Il est certainement bel homme, pensa le chanoine, dont l'expression se faisait de plus en plus bienveillante. Et, avec ce physique superbe, des qualités de chef — pas d'administrateur — mais de chef, d'aumônier militaire, de préfet de discipline par exemple, excellent professeur, c'est entendu. Belle formation classique, belle plume, belle diction. Un beau sujet pour la Compagnie de Jésus. C'est bizarre que les Pères ne l'aient pas retenu tandis qu'ils l'avaient en main. Il est vrai qu'il a été retiré du collège par ses parents après une vingtaine de mois. Et avec tout cela, un tempérament naturellement chaste. Sans parler de son besoin de dévouement, d'action. Une vraie nature de prêtre. Dommage! Mais pourquoi serait-il trop tard? Tout est possible au Seigneur.

Le Chanoine eut l'intuition que sa bonhomie et son affection auraient plus de poids que tous les arguments qu'il pourrait sortir de ses gros bouquins.

— Écoute, lui dit-il, ta franchise me plaît. Il serait absurde de vouloir t'imposer quoi que ce soit. D'autre part, tu es assez sensible pour comprendre la position dans laquelle je me suis placé lorsque je t'ai fait recommander à l'université. Il ne faudrait pas qu'on puisse supposer que je n'ai pas tout fait pour hâter une solution à notre problème.

— Ah! mais je pense bien, mon oncle! Vous avez été chic, ça, on ne peut plus chic.

— Je puis compter sur ta coopération?

— Pleine et entière.

— Vois-tu, mon neveu, il n'est requis que de faire son possible ici-bas, tout son possible.

Jean-Loup demeura silencieux. Le chanoine tapota le bras de son fauteuil et au bout d'un moment:

— Te répugnerait-il de pousser un peu plus avant dans l'étude de la doctrine catholique?

— Répugner est un mot trop fort, répondit Jean-Loup sans enthousiasme.

— Il est infiniment regrettable que tes entretiens avec le père Poitras, un expert cependant, docteur en droit canon, et de plus, homme d'une très remarquable élévation de pensée… oui, enfin! Je regrette que ces entretiens aient été si peu concluants. Peut-être n'ont-ils pas été suffisamment nombreux.

— Je vous assure, mon cher oncle, que le Jésuite et moi, ça ne colle pas.

— Il faut s'incliner devant l'évidence. Et, après tout, mon gars, c'est de ton âme qu'il s'agit. Mais est-ce que je n'aurais pas tort d'en déduire que toute discussion est inutile? Qu'en penses-tu, toi qui aimes tant discuter? Tu es bien français, va!

— Plus français que canadien, tout au fond de mon coeur, avoua Jean-Loup. Et c'est compréhensible, vous ne pensez pas?

— Eh oui, je le pense!

Il tambourina sur son ventre quelques secondes

en regardant la boule de cuivre fixée à l'extrémité de la tringle qui supportait la lourde draperie de la fenêtre. La lumière d'une lampe, filtrée par un abat-jour rouge, se reflétait dans cette boule de cuivre; l'effet parut joli au chanoine. Il poursuivit son idée.

— Je me demande, dit-il, comme se parlant à lui-même, je me demande comment tu t'en tirerais avec mon ami le père Antoine, un bon Capucin, un homme pas compliqué du tout, un bon Père dépourvu de toute espèce de préjugés.

Nous y voilà, pensa Jean-Loup, qui dit à haute voix :

— Dépourvu de tout préjugé ? Cela me semble bien incompatible avec son état.

— C'est parce que tu ne le connais pas. Au reste, c'est un bonhomme qui manie le paradoxe avec une candeur que j'ai toujours trouvé désarmante. Il n'aurait pas fait un bon théologien, le père Antoine, il se contredit bien trop; pas sur l'essentiel, cependant : sa doctrine de base est solide comme le roc. D'ailleurs, il était géologue avant d'entrer dans les ordres. Tu me pardonnes bien ce méchant calembour ?

— Géologue ! s'exclama Jean-Loup, plein d'admiration pour l'astuce de son oncle.

— Oui. C'est encore sa manie. Autrefois, il avait même été quelque peu alpiniste. Je lui demanderai de te recevoir. Cela ne t'engage guère, quand tu y penses.

Évidemment, évidemment, se disait Jean-Loup,

il y a toujours un ancien géologue, un ancien pâtissier, un ancien Don Juan dans quelque monastère, et si mon oncle n'avait pas découvert celui-là chez les Capucins, il aurait trouvé un géologue-alpiniste à la Trappe, à Saint-Benoît ou chez les Pères du Saint-Esprit. Dans l'Église, il y a l'assortiment complet; je n'en dois plus douter. Bien joué, même si je ne suis pas dupe.

Mais le moment était opportun d'avoir l'air de céder.

— Je pense que vous avez raison, mon oncle. Pourquoi pas? Nous sympathiserons peut-être, votre ami et moi.

Le chanoine Denonceau s'avança au bord de son fauteuil avec un sourire malicieux qui pouvait signifier que lui non plus n'était pas dupe; il donna une claque affectueuse sur le genou de son neveu.

— Puisque j'ai ton accord, je m'en occupe, dit-il. Et maintenant, gamin, si je te donnais une raclée aux échecs?

— Vous pouvez toujours essayer, mon cher oncle, dit Jean-Loup, en plaçant une table entre les deux fauteuils. La semaine dernière, nous avons fait une partie nulle. Mais je vous préviens charitablement que cette fois-ci…

V

Chez Carole où il avait ses petites habitudes, Jérémie s'arrêtait une heure ou deux, environ toutes les semaines, en fin d'après-midi. Vers six heures et demie, quand rien ne les pressait, ils mangeaient ensemble dans la cuisinette. Carole faisait un spaghetti ou bien un bifteck pommes frites, du veau et des nouilles ou de la choucroute, parfois un boeuf braisé. Elle essayait de gaver Jérémie. Et lui, il se forçait à vider les plats, par charité envers Carole, par respect et compréhension du complexe maternel, étale et lourd, de la très brave Carole qui se donnait à lui et à d'autres, pour faire plaisir, pour faire du bien, par excès de tempérament, parce que cela ne blessait personne, dans un échange de bons procédés, et même par principe; car elle avait la conviction que l'acte sexuel renouvelle le sang, garantit la santé, retarde le vieillissement des glandes, et enfin, que tout être a l'âge de ses passions et surtout des passions qu'il inspire.

À quarante-neuf ans, Carole était de ces femmes capables d'exciter et de retenir longtemps l'attention des messieurs, leurs hommages, voire leurs sentiments. Elle était gaie, fraîche, dévouée; enfin, elle n'exigeait pas trop d'un seul homme.

Son mari voyageait beaucoup pour affaires et entretenait de son côté l'affection de quelques petites amies. Ils avaient en somme un arrangement amical que Jérémie ne troublait pas.

Jérémie ressemblait, en plus vivant mais à peine, au portait de Bernard Buffet peint par lui-même : visage hâve, expression affamée, désespérée; pour tout dire, tragique. Il attirait la compassion.

— Viens plus souvent, viens seulement manger, lui disait l'opulente Carole en serrant contre ses chairs, pleines mais toujours fermes, le thorax de son famélique amant.

— J'aimerais ça, répondait faiblement Jérémie, mais j'ai tellement de travail !

C'était vrai. Il travaillait beaucoup; d'abord au journal, où il rééditait les bulletins de nouvelles et traduisait les articles d'information, et ensuite chez lui, où il gagnait pas mal en traduisant de la publicité. L'agence qui lui fournissait régulièrement ces traductions lui donnait quatre sous du mot.

En plus de son salaire de cent quarante dollars par semaine, il se faisait un supplément hebdomadaire de cinquante à soixante dollars. Mais quelle peine, quelle misère pour y arriver ! Quel acharnement il y mettait !

Les soirs où il revenait de chez Carole, l'esprit allégé, l'estomac pesant — ah ! que Carole était habile et que ses plats cuisinés changeaient des restaurants ! — il entreprenait la tâche avec plus d'optimisme. Par exemple, il s'assurait à lui-même que traduire, en publicité, c'est aider le commerce et l'industrie et contribuer à la prospérité nationale. Il mettait une pile de disques sur son pick-up, les *Préludes* de

Debussy joués par Gieseking, des sonates de Pro-kofiev et, tenant l'ennui à bout portant, il s'instal-lait avec ses dictionnaires et sa machine à écrire.

«Je suis un héros obscur», se disait-il parfois pour se donner du coeur, lorsque la traduction était particulièrement ardue.

Mais l'existence, pour lui comme peut-être pour ses quatre plus chers amis, n'avait un sens que le jeudi soir, quand il les retrouvait dans certain lieu enfumé qui leur servait de club, de tribune libre, d'île déserte, de pré verdoyant pour jeunes poulains, où ils avaient inventé, pour se distraire, une société secrète.

Un vendredi de janvier, à la fin du jour, il s'était arrêté chez Carole. La veille, il avait vu ses amis. Il se sentait ce soir-là capable de mettre dans un fran-çais académique et même poétique toute la publicité pour le détergent ZAM et pour les soupes GARDEN FRESH. L'indispensable Littré, le bon vieux Larousse et, pour leur tenir compagnie, le noble Dar-mesteter sur un coin de la table; à la portée de la main, une boîte de cigarettes sans filtre, en sourdine les *Nocturnes* de Fauré, interprétées par Démus : Jérémie, dans son décor, se mit à besogner.

Il y avait près de deux heures qu'il trimait lorsqu'un problème, comme il n'en survenait que trop fréquemment dans son métier, le fit jurer d'impatience. *So you know that every single vegeta-ble is fresh, GARDEN FRESH.* «Encore un maudit slo-gan basé sur un maudit jeu de mots anglais,

320

s'exclama-t-il. Et le client y tient, à son jeu de mots!»

Jérémie se tenait à lui-même un discours, à mi-voix, comme chaque fois qu'il séchait : «Ici on patauge dans la vase nauséabonde, continua-t-il, ou bien je suis fatigué. Alors vous savez, non, vous savez alors que chaque légume est frais, *garden fresh*. Allez donc traduire ça. Fraîcheur potagère. Maraî-chère. Légumes, légumineux. Oh! Priape, Ver-tumne, Pomone, me venez en aide! Mais que peut-il bien y avoir dans ces soupes? de la pimprenelle, de la barbe-de-capucin, de la bourcette, de la roquette et du chicon? Il faut refranciser à tout prix, mais comment? et quoi, à part les annonces de la province de Québec? *Visitez la province de Québec, imbibez-vous de son atmosphère Vieille France chez Jos. Lazure, motel, beer and wine. GARDEN FRESH,* com-ment arranger ça? Créer une publicité française à l'usage du Québec, voilà le mot d'ordre du Publi-cité Club. C'est un beau mot d'ordre. Il faudrait d'abord le donner aux clients, américains et autres. Mais c'est ici que s'illustre le mieux le mythe de Sisy-phe : on anglicise à droite, on refrancise à gauche. Je pourrais dire aussi que nous avons les mains plei-nes d'affaires, lesquelles se traitent en anglais. Le français, nous le maintenons au bout de notre nez. Nous sommes de fameux jongleurs. Mais, *deinde philosophari,* au travail! On va leur laisser leur ''frais, *garden fresh*''. Les Canadiens sont habitués; les Anglais s'imagineront que frais, ça se prononce comme *fresh*. D'ailleurs, je m'en fous. Voyons : les succulentes primeurs… »

La sonnette d'entrée fit sursauter Jérémie. Dix heures. Qui venait à cette heure-là ? Il entendit que la porte s'ouvrait et se refermait. Il se leva de sa chaise. Dans le vestibule mal éclairé par une suspension d'albâtre et de fer forgé dans laquelle ne brûlait qu'une faible ampoule, une jeune femme retirait son manteau de velours pourpre.

— Jérémie ! Tu es là ? J'ai besoin de te voir. Je peux entrer ? J'ai sonné pour te prévenir, mais tu vois, j'ai encore la clef. Je peux entrer ?

Il souleva les bras et les laissa retomber, il inclina la tête.

Elle s'avança et il se rassit devant sa machine. Il n'avait plus le coeur à l'ouvrage mais il fallait paraître affairé, il fallait un prétexte pour éviter Dieu sait quoi, une conversation, une scène, un regard.

— J'ai tout ça à finir pour demain, dit-il en lui montrant une pile de slogans à traduire la semaine suivante.

Elle se planta devant la cheminée et se mira devant la grande glace qui la surmontait.

— Tu écris dans le salon maintenant ? dit-elle. À part ça, c'est toujours pareil ici. Tu n'as rien changé.

— Pourquoi aurais-je changé quoi que ce soit ?

— Ça sent toujours pareil, aussi.

— Ça sent quoi ?

— Le tabac, la friture. Drôle de maison.

— La maison de mes parents.

— Ces vieux meubles… Jérémie, tu te rappelles ? Je les trouvais si laids ! Il paraît que ça vaut cher, des meubles en pin, quand ils sont vieux comme les tiens. Pourquoi ne les vends-tu pas ?

Il fit mine de ne pas comprendre.

Elle approcha une chaise de la table et s'assit devant lui. Elle avait des cheveux roux, assez longs, décoiffés à la façon des jeunes actrices françaises des années 58 et 59, ses yeux pers étaient très maquillés. Ses lèvres minces paraissaient exsangues ; tendue sur un front bas et un nez un peu épais, des pommettes hautes et un menton pointu, la peau de son étroit visage était d'un blanc uniformément crémeux. Sa robe de jersey, striée de rayures noires et blanches, accentuait son buste petit et trop relevé, ses bras maigres, la saillie de ses hanches. Un collant noir gainait ses jambes aux mollets hauts et durs, aux genoux osseux.

Elle alluma une cigarette ; ses mains tremblaient. elle tira quelques bouffées, en silence.

Jérémie alla chercher les deux volumes du Harrap's qui se trouvaient sur une chaise, sous quelques disques, et les mit à côté des autres dictionnaires.

— Quel désordre ici ! Tu vas te crever au boulot, mon vieux. Pourquoi veux-tu crever ? C'est pas nécessaire. Tu bosses trop. Tu vas finir par en crever, alors pourquoi t'entêter ?

— Parce que je n'ai pas ramassé assez d'argent. Avocats, détectives, démarches, frais et faux frais. Ça peut se monter à deux mille dollars. Il y a des fois où ça coûte plus cher. Pour les sénateurs comme pour les vins, il y a de bonnes et de mauvaises années.

Elle frémit, elle mordilla sa lèvre inférieure en écarquillant ses yeux brillants. Son souffle court donnait à sa voix un ton d'urgence, comme si elle haletait face à un danger. Sa voix était rauque.

— C'est trop bête, trop bête, fit-elle, tu ne vas pas gaspiller l'argent que tu gagnes si durement? Tu vas te crever à l'ouvrage quand moi je peux crever du jour au lendemain de n'importe quoi, alors pourquoi faire ça?

Jérémie ne répondit pas. Il avait la tête vide. Il feignit de chercher un mot dans le Harrap's.

— Combien d'argent as-tu à l'heure qu'il est? insista-t-elle.

— Presque seize cents dollars.

— Déjà? C'est épouvantable! C'est pour bientôt alors?

Il hocha la tête.

— Jérémie, je ne veux plus divorcer. Jérémie! regarde-moi. Je ne veux pas que nous divorcions, Jérémie, je ne veux pas rester toute seule. J'ai peur de rester toute seule. Tu n'as pas le droit de m'abandonner. La religion le défend.

Cette fois, il leva les yeux sur elle et il ébaucha un sourire aigre.

— Ah! vraiment, la religion, dit-il. Quelle religion? Est-ce que tu en as une?

Elle fit un mouvement pour indiquer qu'elle ne tenait pas à cet argument.

— On peut rester séparés, tu comprends, on peut s'entendre à l'amiable. Qui sait ce qui peut arriver plus tard? Tu ne te remarieras pas, hein? Tu pourrais tomber sur une bien pire que moi. T'es pas chanceux, Jérémie; t'es jamais chanceux. Restons comme ça. Plus tard quand nous serons vieux, nous pourrions peut-être nous retrouver! Plus tard... Ou même maintenant, Jérémie, je pourrais changer, je pense; je peux changer!

Elle se jeta à genoux à côté de lui et lui prit le bras à deux mains.

— Jérémie! Si je te promets d'être bien bonne, de faire tout ce que tu veux, de faire tout ce que tu dis, de ne plus recommencer jamais, jamais?...

Elle éclata en sanglots, toujours agrippée au bras de Jérémie que ses spasmes secouaient. Il tenta de se dégager, d'abord avec douceur, mais elle tenait à lui comme par des crampons et il dut lui serrer les poignets pour qu'elle lâche prise.

— Excuse-moi, lui dit-il.

Il s'en fut mettre la musique de piano d'Éric Satie sur le tourne-disque, prenant soin d'essuyer le disque. Rien ne le retenait à lui-même autant que cette musique-là.

— Écoute comme c'est simple, dit-il. Et comme c'est clair. C'est Ciccolini qui joue.

— Damnée musique! cria-t-elle. Ta damnée chienne de musique. C'est tout ce qui importe dans ton existence de chien battu.

— Presque. Mais il y a aussi quelque chose

d'autre.

Elle s'était écroulée par terre et pleurait avec de tels soubresauts qu'il en fut remué malgré lui.

— Relève-toi, dit-il. Nous devrions discuter comme entre gens civilisés. Qu'est-ce que tu veux? Comment se fait-il que tu sois venue ici?

— Je ne suis pas seulement venue, je suis revenue. Revenue.

Elle souleva la tête et repoussa ses cheveux de son visage.

— Je ne veux pas de divorce, fit-elle, implorante. Le divorce, quand j'y pense, je trouve ça trop brutal, trop définitif, c'est une sorte de mort, il me semble que c'est comme la mort.

— Allons donc!

— Ben oui! Qu'est-ce qui va m'arriver si nous divorçons? S'il m'arrive quelque chose aujourd'hui, tu es encore responsable de moi. Et quand je ne serai plus ta femme, si je tombe malade, qui est-ce qui va prendre soin de moi?

— Tu es malade en ce moment. Tu ne veux pas l'admettre. Qui prend soin de toi, en ce moment?

— Personne. Il m'a jetée dehors. Tu n'es pas au courant? Pourquoi dis-tu que je suis malade? Ah, enfin, j'ai loué une chambre, j'ai fait mettre le téléphone, j'ai des amis qui ont mon adresse; mon meilleur ami, c'est un détective, un inspecteur en civil, c'est lui qui a les meilleurs pistons. Je travaille avec des gens qui vivent en dehors des villes. J'ai tellement besoin d'argent, tu comprends...

Comprends-tu ?

Elle retroussa ses deux manches et lui montra ses bras constellés de petites cicatrices.

— Je ne peux pas m'en passer, Jérémie, j'ai besoin de ça, j'ai essayé et... je ne peux pas.

— Veux-tu retourner au sanatorium ?

— Non, jamais, jamais, jamais. J'ai pensé mourir. J'aime mieux mourir tout de suite.

Elle s'essuya les yeux et le nez du revers de la main. Elle était assise par terre, les jambes repliées sous elle.

— Écoute donc, Jérémie, je te laisse tranquille, tu fais ta petite vie bien tranquille, pourquoi divorcer ? Ça va te coûter cher pour rien.

— Oh ! pas pour rien, dit-il. Pour être libre, cela n'est pas rien.

Elle se mit à rire, d'un rire aigu et lent qui n'était pas du tout contagieux.

— Libre, libre ! Pourquoi libre ? Pauvre Jérémie ! Tu as déjà l'air vieux, tu n'es pas beau, tu n'es pas riche et tu ne le seras jamais, parce que tu n'es pas fier et tu n'as pas de talent, pauvre vieux ! Et moi, je te croyais un grand poète, je pensais que tu me pousserais, que tu écrirais des pièces rien que pour moi ! Ah ! là, là ! Et puis, je vais te dire une chose : pour ce qui est de l'amour, tu ne m'as jamais intéressée ; à part ça, tu es né vieux garçon, avec tes livres et tes disques, ta maudite zing-zing. Est-ce que tu pioches encore du piano ?

— Quand nous nous sommes mariés, dit sobrement Jérémie, tu avais de meilleures manières. Tu es en train de perdre jusqu'à ton accent de conservatoire.

— J'avais cinq ans de moins, j'avais vingt ans. Vingt ans tout juste. Si tu avais eu de l'ambition pour toi et pour moi, je serais quelqu'un aujourd'hui; je serais peut-être une grande actrice.

— Tu avais de bonnes manières, continua Jérémie, mais tu te droguais déjà, et ça, moi je l'ignorais.

— Pas vrai. Je ne me droguais pas. Je prenais de la *Benzédrine* pour m'empêcher de bâiller quand on sortait ensemble.

— Si je n'ai pas su te faire aimer l'amour, ce n'est pas faute d'avoir essayé.

— Pauvre Jérémie! C'est la seule chose pour laquelle tu ne sois pas dépourvu d'imagination. Comme s'il n'y avait que ça qui donnait des sensations formidables. Si tu voulais essayer rien qu'une fois avec moi, hein? Tu les oublierais vite tes misères, tes faillites…

— L'héroïne? Non, merci!

Il s'essuya les mains avec son mouchoir et, pour lutter contre une mélancolie insidieusement envahissante, il pensa à Jean-Gabriel Duquette, à Jean-Loup Reider, à Philéas Beauregard, à Ivanovski surtout, dont il évoqua le visage beau et rieur et dont il crut un instant sentir le bras protecteur autour de ses épaules. «Jérémie, lui disait Ivanovski, sais-tu pourquoi je t'aime? C'est parce que tu es mon envers.»

Elle se mit debout et, en chancelant, s'avança

vers lui.

— J'ai mauvais caractère, mon pauvre vieux, dit-elle. Je ne pense pas la moitié des bêtises que je dis. Si je revenais pour tout de bon, à partir de ce soir, hein? Si on recommençait à neuf? Je suis tellement, tellement fatiguée… Si j'essayais de me guérir?

— Non. Tu ne reviendras pas. Veux-tu retourner au sana? Je paierai.

— Oh! je ne sais pas. J'ai peur. C'est trop effrayant. Tu ne peux pas savoir combien c'est effrayant d'être enfermé là et de ne plus pouvoir… On ne nous comprend pas, nous autres! On nous dit que nous sommes des malades; on nous traite comme des criminels; on est dur, dur! Jérémie! Je n'ai que vingt-cinq ans! Je ne veux pas être enfermée dans une tombe. Le sana, c'est une tombe. Comprends-tu?

— Oui.

Il tâcha de faire diversion, d'écourter cette scène, pareille à tant d'autres scènes qu'il avait subies et qui ne se répétaient heureusement que de loin en loin.

— Tu dis qu'il t'a mise à la porte, comment ça? C'est le même type?

— Oui, c'est le même. Je ne peux plus faire assez d'argent pour deux. Pour moi toute seule, maintenant, c'est vingt-cinq dollars par jour que ça me coûte, et en plus, il faut que je trouve de quoi payer ma chambre, le service téléphonique, les pourboires, tu sais, à ceux qui m'amènent des clients; et puis il faut que je mange. Oh, je ne mange pas beaucoup, mais il faut que je m'habille, il faut que je sois bien habillée.

Il songea à lui demander si elle avait besoin d'argent, mais il se ravisa. Il ouvrit son portefeuille : il ne contenait presque rien. Il prit un carnet de chèques dans le tiroir d'une petite commode, en détacha un et le remplit.

— Tiens, prends ça, dit-il.

— Cinquante dollars ! Tu es fou, Jérémie. Tu devrais me jeter dans la rue, à coups de pied, après ce que je t'ai fait. Tu es fou !

La jeter dans la rue comme une pauvre petite chatte de gouttière, pensa-t-il, je n'en suis pas capable.

— Je ne te veux pas de mal. Je veux simplement divorcer. Tu ne t'en apercevras même pas. Quand tu auras besoin d'un coup de main, tu viendra et je t'aiderai comme ce soir, tu vois ?

Il l'aida à revêtir son manteau.

Ouvrant la porte, elle lui dit encore :

— Jérémie, comment va-t-elle, Angéline ?

— Elle va très bien, répondit-il, conduisant sa femme jusqu'au trottoir. Elle va bien. Elle est belle. Elle parle comme une grande personne raisonnable. Elle est toujours chez tes parents à Longueuil. Elle dessine beaucoup. Je vais la voir tous les dimanches.

Note de l'éditeur

Cette édition contient *les Montréalais* (Éditions du Jour, 1962) et *Nouvelles montréalaises* (Éditions Beauchemin, 1966) ainsi que trois nouvelles, *Un Noël pour Chouchou* (*le Devoir*, 1964), *Sir Alfred* (*le Devoir*, 1972), dont la dernière *Au concert avec Roy Royal*, écrite en 1952 et inédite.

ANDRÉE MAILLET

Issue d'une famille de journalistes et d'artistes, Andrée Maillet est née à Montréal en 1921. Très jeune, elle commença à écrire et à publier avant d'entreprendre une carrière de journaliste et de correspondante de presse en Europe (1941-1952). À la suite d'une série de reportages sur l'occupation de l'Europe de l'Est par les troupes soviétiques, elle devient membre de l'Anglo American Press Association.

Reporter à *Photo Journal*, puis éditorialiste au *Petit Journal*, elle dirige la revue *Amérique française* de 1952 à 1960, privilégiant ouvertement la littérature québécoise et favorisant l'amorce d'une poésie engagée qui, par la suite, va s'implanter au cours des années soixante.

Polygraphe, Andrée Maillet a publié des articles, des contes, des romans, des nouvelles, des poèmes, des entrevues et des reportages dans de multiples journaux et revues au Québec. Certains des contes et nouvelles d'Andrée Maillet ont été, soit publiés en traduction ou en version originale, au Portugal, au Danemark, en Tchécoslovaquie, aux États-Unis, en Australie et (en Grande Bretagne) au Pays de Galles. Elle a écrit deux dramatiques pour la télévision, trois romans radiophoniques, plusieurs cycles de poèmes, des récits de voyage et des contes dramatiques. Deux de ses comédies ont été créées à Québec, au Théâtre de l'Estoc dirigé par André Ricard. Pour *le Chêne des tempêtes*, recueil de contes pour enfants, elle a obtenu en 1965 le premier prix de la Province de Québec (section jeunesse) et la médaille de la Canadian Association of Children's Librarians.

Fondatrice du PEN Club canadien-français, déléguée des Écrivains aux États-Généraux de 1966, candidate du R.I.N. en 1966 dans Westmount, ex-vice-présidente de l'Association canadienne des Journalistes et Écrivains de Tourisme et membre de la FIJET, Andrée Maillet a été reçue à l'Académie canadienne-française (1976) et est Officier de l'Ordre du Canada.

BIBLIOGRAPHIE

CONTES ET ROMANS POUR ENFANTS

Le Marquiset têtu et le Mulot réprobateur, Éditions Variétés, 1944; Éditions Casterman, Paris et Bruxelles, 1965.

Era uma vez Marquês (en traduction portugaise), verbo Biblioteca Infantil, Lisbonne, 1972.

Le Chêne des tempêtes, Éditions Variétés, 1944; suivi d'autres contes, Éditions Fides, 1965.

Storm Oak (en traduction anglaise), Scholastic Books, 1972.

Ristontac (illustrations de Robert LaPalme), Éditions Parizeau, 1945.

ROMANS

Profil de l'orignal, Amérique française, 1953; Éditions de l'Hexagone, 1974 (préface de Gilles Marcotte).

Les Remparts de Québec, Éditions du Jour, 1965; Éditions de l'Hexagone, 1977 (préface de François Ricard).

Le Bois-pourri, Éditions de l'Actuelle, 1971.

Le Doux Mal, Éditions de l'Actuelle, 1972.

À la mémoire d'un héros, Éditions La Presse, 1976.

Lettres au Surhomme, vol. I, Éditions La Presse, 1976.

Lettres au surhomme, Miroir de Salomé, vol. II, Éditions La Presse, 1977.

CONTES ET NOUVELLES

Les Montréalais, Éditions du Jour, 1963.

Le Lendemain n'est pas sans amour, Éditions Beauchemin, 1963.

Nouvelles montréalaises, Éditions Beauchemin, 1966.

POÈMES

Élémentaires, Éditions de la Librairie Déom, 1964.

Le Paradigme de l'idole, Amérique française, 1964.

Le Chant de l'Iroquoise, Éditions du Jour, 1967.

Ski nocturne dans les Laurentides, Écrits du Canada français, n° 40, 1976.

THÉÂTRE

Le Meurtre d'Igouille, Écrits du Canada français, n° 19, 1965.

La Montréalaise, Écrits du Canada français, n° 23, 1967.

Souvenirs en accords brisés, Écrits du Canada français, n° 27, 1969.

La Dépendance, Écrits du Canada français, n° 37, 1973.

OEUVRES DRAMATIQUES
(Théâtre, radio, télévision)

Le Meurtre d'Igouille, tragédie mélodramatique créée au Théâtre de l'Estoc, Québec, en 1965.

Souvenirs en accords brisés, dramatique télévision, Radio-Canada, 1966.

La Montréalaise, créée au Théâtre de l'Estoc en 1967.

La Perdrière, dramatique télévision, Radio-Canada, 1971.

Le Doux Mal, dramatique radio, Radio-Canada, 1972.

Souvenirs en accords brisés, en traduction slovaque, radio nationale de la Slovaquie, Bratislava, 1972.

La Dépendance, dramatique radio, Radio-Canada, 1975.

TABLE DES MATIÈRES

DÉJÀ PARUS

*Cet ouvrage
a été achevé d'imprimer sur les presses
de l'imprimerie Gagné à Louiseville
en août 1987 pour le compte des
Éditions de l'Hexagone*

Imprimé au Québec (Canada)